KB218220

육군 첫 우주작전장교의 여정

지상에서 우주까지

육군 첫 우주작전장교의 여정

지상에서 우주까지

발　행 | 2024년 9월 17일
저　자 | 김재엽
펴낸이 | 한건희
펴낸곳 | 주식회사 부크크
출판사등록 | 2014.07.15.(제2014-16호)
주　소 | 서울특별시 금천구 가산디지털1로 119 SK트윈타워 A동 305호
전　화 | 1670-8316
이메일 | info@bookk.co.kr

ISBN | 979-11-419-0357-2

www.bookk.co.kr

육군 첫 우주작전장교의 여정

지상에서 우주까지

김 재 엽

"군인은 군복 입은 모습에 자부심을 느끼고,

국민은 제복 입은 군인을 존중하는 나라

이게 바로 우리나라 이야기였으면 좋겠습니다."

Prologue

별이 빛나는 밤, 내 인생을 바꾼 순간

2002년 6월 뜨거웠던 그날
잊지 말아야 할 영웅들

하늘은 밤이 되면 별을 드러내듯, 바다는 잔잔할 때 그 깊이를 드러낸다. 그날 밤, 서해의 바다는 평온했지만, 그 안에 숨겨진 이야기들은 절대 잔잔하지 않았다.

2002년 6월, 대한민국은 축제의 열기로 들썩이고 있었다. 온 국민이 월드컵 4강 진출을 축하하며 붉은 악마의 함성 속에 밤새도록 환호했다. 나 역시 대학 1학년의 젊음을 즐기며 친구들과 함께 응원하며 그 뜨거운 열기 속에 빠져들었다. 하지만 그 찬란한 별이 빛나는 밤, 그 순간에도 국가를 위해 목숨을 바치는 이들이 있었다.

2002년 6월 29일 오전 10시 25분, 서해는 전운이 감돌고 있었다. 북방한계선(NLL)에서 대한민국 해군의 참수리 357호와 북한 해군의 경비정 간에 치열한 전투가 발생하였다. 대한민국 전체는 월드컵 4강 진출의 기쁨에 들떠 있었지만, 서해의 젊은 장병들은 국가와 국민을 지키기 위해 목숨을 걸고 있었다.

북한 경비정이 북방한계선을 넘으며 시작된 전투. 북한 경비정이 기습적으로 공격을 감행했다. 북한의 기습은 계획된 것이었다. 대한민국 해군은 그 도발에 맞서 싸웠고, 그 과정에서 많은 이들이 목숨을 잃었다. 그날의 영웅들은 바다 위에서 국가와 국민을 지키기 위해 최선을 다했다. 그들의 용기와 희생은 우리 모두의 가슴속에 깊이 새겨져야 한다.

윤영하 소령, 한상국 상사, 조천형 상사, 황도현 중사, 서후원 중사, 박동혁 병장 제2연평해전 6인의 영웅들의 이름은 내 가슴속 깊이 박혀 있다. 바다 위에서 벌어진 그 치열한 전투는 나를 군인의 길로 이끌었다. 그날의 사건은 축제의 불빛 속에 가려졌지만, 나에게는 영원히 잊히지 않을 교훈을 남겼다.

당시 윤영하 소령은 끝까지 전투를 지휘하다가 전사했고, 한상국 상사는 조타장으로 부상을 입고 피를 흘리면서도 키를 놓치지 않았다. 함정이 북한 해역으로 넘어가지 않도록 온 힘을 다했던 것이다. 조천형 상사는 함포의 방아쇠를 붙잡은 채 적을 향해 응사하다 전사했다. 조천형 상사에게는 당시 갓난 딸이 있었다. 지금은 잘 자라서 해군의 길을 걷고 있다고 한다. 황도현 중사는 의리파 전우로 불렸다. 서해를 지키기 위해서 최후까지 발칸포 방아쇠를 놓지 않았다. 서후원 중사는 기관장이었고, 엄폐물도 없이 기관총 방아쇠를 당겼고, 왼쪽 가슴에 총탄이 관통하면서 전사했다. 박동혁 병장은 의무병으로 자신도 상당한 부상을 당했음에도 불구하고 책임감 있게 부상 당한 전우를 살피기 위해 배 위를 뛰어다녔다. 병원으로 이송되었을 때 몸에서 나온 파편이 무려 130여 개였다고 한다. 뇌에 염증이 번져서 상태가 악화되면서 3개월 투병 끝에 전사했다. 죽은 정장을 대신해 전투지휘 한 이희완 부정장과 손가락이 모두 잘려 나간 부상에도 대응 사격을 했던 권기형 병장도 우리의 영웅이었다.

그날의 영웅들, 그들은 이름 없는 별처럼 빛나지만, 그 빛은 절대 사라지지 않는다. 나는 그들처럼 국가를 위해, 국민을 위해 헌신하고자 결심했다.

그날 밤, 나는 텔레비전 화면을 통해 그 제2연평해전 소식을 전해 들었다. 대한민국 국민들이 월드컵의 열기 속에서 축제 분위기에 휩싸여 있는 동안 서해에서는 치열한 전투가 벌어지고 있었던 것이다. 나는 우리 해군이 북한 경비정과 맞서 싸운 모습을 보며 가슴속에서 무언가 뜨거운 것이 솟구쳐 오르는 것을 느꼈다. 그들의 용기와 헌신이 나를 사로잡았고, 나는 군인의 길을 걷기로 결심했다.

제2연평해전의 영웅들은 나에게 진정한 용기와 헌신의 의미를 가르쳐 주었다. 그들은 밤하늘의 별처럼, 우리가 모두 잊지 말아야 할 빛이다. 그 빛을 따라, 나는 군인의 길을 걸었고, 앞으로도 걸어갈 것이다. 그들의 희생과 용기는 우리의 마음속에 영원히 살아 있을 것이다. 그들이 남긴 가르침은 단순하다. 국가를 위해, 국민을 위해 헌신하는 것이야말로 가장 가치 있는 일이라는 것이다.

그날의 영웅들에게 감사에 마음을 전하고 싶다. 그들의 용기와 희생 덕분에 나는 이 길을 걸어올 수 있었다. 그리고 이 책을 통해 그들의 이야기를 전하고, 그 가치를 되새기고자 한다. 그들의 이야기는 단순한 전투의 기록이 아니라, 우리가 잊지 말아야 할 가치와 의미를 담고 있다. 그들의 이야기를 통해 우리는 진정한 용기와 헌신의 의미를 깨닫고, 그 가치를 우리의 삶에 실천할 수 있기를 바란다.

"제2연평해전의 영웅들,
그들은 우리 모두의 가슴 속에
영원히 살아 있을 것이다."

여러분의 가슴 속에는 어떤 별이 빛나고 있는가? 여러분의 마음속에는 어떤 이야기가 숨겨져 있는가? 서해의 밤하늘을 보며, 그 별빛 속에서 우리는 무엇을 느끼고 무엇을 배울 수 있는가? 이 책이 여러분의 마음속에 작은 빛이 되어, 그 빛 속에서 새로운 희망과 용기를 찾을 수 있기를 바란다.

제2연평해전의 영웅들, 그들의 이야기는 절대 끝나지 않을 것이다. 그들의 희생과 용기는 우리의 마음속에 영원히 남을 것이며, 그들의 이야기는 우리에게 끊임없이 새로운 도전과 희망을 불어넣어 줄 것이다. 그들이 지켜낸 대한민국, 그들이 꿈꾸던 평화로운 세상을 위해 우리는 계속해서 나아가야 한다. 그들의 정신을 이어받아 더 나은 미래를 만들어 가야 한다.

빛 속에
감춰진 이야기

어느 날 문득, 한 사람의 이야기가 누군가의 인생을 바꿀 수 있다는 것을 깨달았다. 내가 걸어온 길, 그리고 앞으로 나아갈 길을 이 책에 담아내는 것은 단순한 기록이 아니라, 나와 같은 길을 걷고자 하는 이들에게 작은 등불이 되기 위함이다. 이 책은 나의 이야기이지만, 동시에 우리의 이야기이기도 하다.

우리가 살아가는 세상은 예측할 수 없는 일들로 가득하다. 그 예측 불가능한 세상에서, 군인은 언제나 준비된 자세로 살아가야 한다. 준비된 자세는 단순히 체력과 기술만을 의미하지 않는다. 그것은 마음가짐이며, 철학이고, 삶의 방식이다.

나는 이 책을 통해, 나의 준비된 자세가 어떻게 형성되었는지, 그리고 그것이 어떻게 나를 이끌어 왔는지를 이야기하고자 한다.

2002년 여름, 대한민국은 붉은 물결로 물들어 있었다. 거리에는 태극기가 휘날리고, 사람들은 밤낮없이 월드컵의 열기에 빠져들었다. 서울에서 부산까지, 온 국민이 한 마음으로 환호하며 기적 같은 4강 진출을 축하했다. 그 빛나는 순간 속에서 나 역시 대학교 신입생으로 청춘을 만끽하고 있었다.

그러나 그 찬란한 빛 뒤에는 어둠이 드리워져 있었다. 바로 내가 군인의 길을 걷기로 결심한 제2연평해전이라는 역사적인 사건이 발생했다. 그날의 기억은 내 마음에 깊이 새겨져 있다. 축구 경기장에서 들리던 환호성과는 달리, 서해의 바다에서는 총성과 비명이 울려 퍼졌다. 우리 해군은 목숨을 걸고 싸웠고, 많은 희생을 치렀다.

서해의 바다, 그곳에서 피어오른 용기와 희생의 이야기, 나는 그날을 기억하며, 군인의 길을 걷기로 마음먹었다. 그 결심은 내 인생을 완전히 바꿔 놓았다. 이제, 나는 그날의 이야기를 여러분과 나누고자 한다. 그들의 용기와 희생이 어떻게 내 삶을 변화시켰는지, 그리고 그들이 남긴 가르침이 무엇인지 함께 생각해 보자. 이 책은 그날의 기억에서 시작하여, 나의 군 생활 전반에 걸친 이야기를 담고 있다.

군인의 삶은 결코 쉬운 길이 아니다. 수많은 도전과 어려움이 기다리고 있다. 하지만 그 도전과 어려움을 극복하면서 우리는 성장한다. 나는 이 책을 통해, 내가 겪은 도전과 어려움, 그리고 그것을 어떻게 극복했는지에 대한 이야기를 나누고자 한다. 그 이야기를 통해, 여러분들이 자신만의 도전과 어려움을 마주할 때 조금이라도 도움이 되기를 바란다.

나의 첫 발걸음은 ROTC 후보생 시절부터 시작된다. 그 시절은 낯설고 힘들었지만, 동시에 잊지 못할 추억이 가득한 시간이었다. 첫 부대 배치, GOP에서의 첫 경험, 신병교육대대에서의 시간, 중대장으로서의 도전 등 나는 다양한 경험을 통해 군인으로서의 자질을 키워나갔다. 그 과정에서 만난 사람들, 그리고 함께한 시간은 나에게 큰 의미를 지닌다.

군인의 길을 걷다 보면, 새로운 도전이 끊임없이 찾아온다, 나는 사단 작전장교로서의 숨 가쁜 나날을 보냈고, 민간 첨단기술 실험 등 새로운 기술에 도전했다. 또한 합동군사대학에서 배움과 성장을 거듭했으며, 해안 경계의 일상에서도 내 역할을 다했다. 특히 코로나 시기에는 군의 대응 이야기를 통해, 우리의 노력과 헌신을 기록하고자 한다.

우주로 향하는 길은 나에게 새로운 도전이었다. 나의 새로운 도전은 지상작전사령부에서의 임무를 통해 더욱 구체화 되었다. 육군의 우주작전 도전기, 주한 미 우주군과의 협력, 그리고 국제우주상황조치 연습인 「글로벌 센티널 2024」 참가 이야기를 통해, 우리가 얼마나 넓은 세상에서 활동하고 있는지를 보여주고자 한다. 또한 미 우주군의 우주기본과정 SPACE100 국내 과정 신설의 의미를 통해, 새로운 우주동맹의 시작을 이야기할 것이다.

군인의 삶에서 가장 중요한 것은 가족의 헌신이다. 보이지 않는 영웅들은 항상 우리 곁에서 응원하고, 지지해 주고 있다. 나는 이 책을 통해, 가족의 사랑과 희생에 대한 이야기를 나누고자 한다. 또한 군 생활을 통해 얻은 값진 교훈, 진급과 실패의 이야기, 헌혈과 기부를 통해 작은 나눔의 기쁨을 실천한 이야기 등을 통해 헌신의 가치를 공유하고자 한다.

마지막으로, 이 책에는 미래를 향한 꿈과 메시지를 담고자 한다. 이 시대의 참군인들이 어떻게 헌신하고 있는지, 그리고 후배들에게 보내는 격려와 조언을 통해, 군인의 길을 걷고자 하는 이들에게 작은 힘이 되기를 바란다. 또한 가족에게 전하는 감사와 사랑의 메시지를 통해, 우리의 삶이 얼마나 소중한지 되새기고자 한다.

이 책은 나의 이야기를 담고 있지만, 동시에 우리의 이야기를 담고 있다. 우리는 모두 각자의 자리에서 최선을 다하며 살아가고 있다. 그 길이 때로는 험난하고 외로울지라도, 우리는 함께 이 길을 걸어가고 있다. 나는 이 책을 통해, 여러분과 함께 그 길을 걷고자 한다. 우리의 이야기는 아직 끝나지 않았다. 새로운 세대를 위한 희망을 품고, 우리는 앞으로도 계속 나아갈 것이다.

이야기의 끝은 새로운 시작을 의미한다. 나는 이 책을 통해, 나의 이야기가 여러분들에게 작은 희망과 용기를 주기를 바란다. 우리의 삶은 하나의 별빛처럼 빛나고 있다. 그 빛이 모여 하나의 하늘을 이루듯, 우리의 이야기도 모여 하나의 큰 이야기가 될 것이다. 이 책이 그 시작이 되기를, 그리고 여러분의 이야기가 그 안에 담기기를 소망한다.

이 책을 통해 나누고 싶은 이야기는 단순한 군인의 삶이 아니다. 그것은 헌신과 용기의 이야기이며, 도전과 극복의 이야기이다. 나는 이 책을 통해, 나의 경험을 나누고, 여러분과 함께 그 가치를 되새기고자 한다. 우리의 이야기는 끝이 없다. 앞으로도 계속될 것이다. 함께 걸어가는 길에서, 이 책이 작은 등불이 되기를 바란다.

"우리의 이야기는 지금부터 시작이다.
함께 그 길을 걸어가자."

2024년 여름, **국방수도 계룡대에서**

목 차

Prologue | 별이 빛나는 밤, 내 인생을 바꾼 순간

Part 1 | 첫걸음: 불안한 시작, 그러나 빛나는 시간

Part 2 | 새로운 도전: 바람과 함께 날아오르다

Part 3 | 우주로 향하는 길: 무한한 가능성 속으로

Part 4 | 군 생활의 의미, 가족의 헌신: 사랑과 희생의 기록

Part 5 | 미래를 향한 꿈과 메시지: 내일을 향해 가는 길

Epilogue | 새로운 세대를 위한 희망

Part 1

첫걸음: 불안한 시작, 그러나 빛나는 시간

어린 시절,
밀양과 창원에서의 성장

내 어린 시절의 기억은 경남 밀양의 작은 마을에서 시작된다. 밀양의 하늘은 언제나 푸르고, 들판은 황금빛으로 물들어 있었다. 그곳의 공기는 맑고 청명했으며, 바람은 부드럽게 불어와 나의 머리칼을 스쳐 지나갔다. 고요한 바람 속에서, 나는 어린 시절의 순수함을 마음껏 누릴 수 있었다.

밀양의 집은 작고 소박했지만, 나에게는 그곳이 전부였다. 아버지는 늘 바쁘게 일하며 가족을 위해 최선을 다하셨고, 어머니도 아버지를 도와 일손을 거드셨다. 그들의 손길에서 전해지는 따뜻함은 나에게 큰 위안이 되었다.

아버지의 거친 손, 어머니의 부드러운 손길, 그 모두가 나의 어린 시절을 지탱해 주었다. 그러나 중학교 2학년 때, 아버지가 갑자기 세상을 떠나셨다. 그날의 기억은 지금도 선명하다. 아버지의 부재는 나에게 커다란 충격이었고, 우리 가족에게는 큰 시련이었다. 아버지의 빈자리를 채울 수 없었지만, 어머니는 강인하게 우리를 지키셨다. 어머니의 눈에는 항상 슬픔이 묻어 있었지만, 그 눈빛 속에는 우리를 향한 무한한 사랑과 희생이 담겨 있었다.

아버지가 돌아가신 후, 우리는 어머니의 고향인 창원으로 이사했다. 창원의 도시는 밀양과는 또 다른 풍경을 보여주었다. 번화한 거리, 빠르게 움직이는 사람들, 낯선 환경 속에서 나는 새로운 삶을 시작해야 했다. 여러 번의 이사와 변화 속에서, 어머니와 동생과 함께 우리는 서로를 의지하며 살았다.

창원으로 전학을 처음 왔을 때, 나는 친구들과 어울리기 어려웠다. 새로운 환경에 적응하는 것은 쉽지 않았다. 오랜 시간이 걸려 겨우 조금씩 나의 자리를 찾아갔다. 그 속에서 나는 새로운 꿈을 키워나갔다. 그러나 가정 형편은 여전히 어려웠다. 어머니는 여러 일을 하시며 우리를 키우셨다.

그 시절, 나는 아버지를 떠올리며 밤마다 하늘을 바라보곤 했다. 하늘의 별들은 아버지의 눈빛처럼 반짝였고, 그곳에서 나는 아버지의 모습을 떠올렸다. 아버지가 남긴 것은 단순한 추억이 아니라, 나에게 주어진 삶의 교훈이었다. 아버지는 나에게 항상 정직하고 성실하게 살라고 말씀하셨다. 그 말씀이 나의 마음속 깊이 새겨져 있었다.

창원에서의 생활은 나에게 많은 것을 가르쳐 주었다. 어려운 환경 속에서도 희망을 잃지 않고, 서로를 의지하며 살아가는 법을 배웠다. 어머니와 동생이 함께한 시간은 나에게 큰 힘이 되었다. 우리는 비록 가난했지만, 그 속에서 진정한 가족의 사랑을 느낄 수 있었다. 아버지의 부재는 큰 아픔이었지만, 그 아픔 속에서 나는 더욱 강해졌다.

그런 나날들 속에서 나는 어느덧 대학에 입학했고, 2002년 제2연평해전은 나에게 큰 영향을 주었다. 우리나라가 월드컵 4강 진출로 환호하던 그 순간, 서해에서는 잊혀진 영웅들이 국가를 지키기 위해 목숨을 바쳤다. 그들의 희생은 나에게 깊은 감명을 주었고, 나도 그들처럼 국가를 지키는 군인이 되기로 마음먹었다.

군인의 길을 걷기로 한 결심은 나의 삶을 완전히 바꾸어 놓았다. ROTC 후보생으로서의 생활은 나에게 새로운 도전이었고, 나는 그 속에서 많은 것을 배웠다. 낯선 환경 속에서도 나는 절대 포기하지 않았다.

우리의 삶은 때로는 힘들고 고통스럽다. 그러나 그 속에서 우리는 성장하고, 새로운 희망을 발견할 수 있다. 어려운 환경 속에서도 희망을 잃지 않고, 서로를 의지하며 살아가는 것이 중요하다. 가족의 사랑과 희생은 우리의 삶을 지탱해 주는 큰 힘이 된다. 우리는 그 속에서 진정한 삶의 의미를 찾을 수 있다.

어린 시절의 기억은 나에게 큰 힘이 되었다. 그 시절의 경험이 있었기에 나는 지금의 나로 성장할 수 있었다. 그 모든 순간이 내 삶의 일부이며, 나는 그 모든 순간을 소중하게 생각한다. 밀양의 고요한 바람과 창원의 번화한 거리, 그 속에서 나는 진정한 삶의 의미를 배웠다. 그 시절의 경험은 나를 지금의 나로 만들었고, 나는 그 모든 순간을 감사하게 생각한다.

ROTC 후보생 시절,
잊지 못할 추억

ROTC 후보생 시절은 내 인생에서 잊지 못할 추억들로 가득하다. 그 시절은 마치 한여름의 태양처럼 뜨겁고, 가을의 단풍처럼 화려했다. 그 시절의 기억은 나의 가슴속에 깊이 새겨져 있으며, 그 시절의 이야기는 내 인생의 소중한 한 페이지가 되었다. 지금도 그리운 마음으로 그 시절을 되새기곤 한다.

2002년, 나는 대학교에 입학했다. 대학 공부를 하면서, 동시에 나는 ROTC 후보생의 길을 선택했다. 그 선택은 나의 인생을 완전히 바꾸어 놓았다. ROTC 후보생 시절은 나에게 도전과 성장, 그리고 잊지 못할 순간들을 선사했다.

그렇게 나의 군 생활, 첫 발걸음은 ROTC 후보생 시절부터 시작되었다. 그 시절은 낯설고 힘들었지만, 동시에 잊지 못할 추억이 가득한 시간이었다. ROTC 후보생으로서의 첫날, 나는 그저 낯선 얼굴들 속에 섞여 있었다. 우리는 모두 서로 다른 배경을 가지고 있었지만, 같은 목표를 향해 나아가고 있었다. 그 목표는 단순한 군 복무가 아니었다. 그것은 국가를 지키고, 국민을 보호하며, 우리 스스로를 단련하는 일이었다. 우리는 그날부터 동료가 되었고, 형제가 되었다.

후보생 생활은 가혹했다. 이른 새벽, 해가 뜨기 전 우리는 벌써 기상해 있었다. 매일 아침 차가운 공기를 가르며, 우리는 달리고 또 달렸다. 그 순간마다 나는 내 한계를 시험받는 기분이었다. 하지만 이상하게도, 나는 그 고통 속에서 이상한 해방감을 느꼈다. 몸은 힘들었지만, 마음은 점점 더 강해져 갔다.

우리는 당시 학교 방학이 되면 경기도 성남에 위치한 학생중앙군사학교에 모여 군사훈련을 받았다. 학생중앙군사학교에서의 하루는 길고 짧았다. 훈련이 끝나면 우리는 함께 모여 서로의 고단함을 나눴다. 짧은 시간이었지만 그 속에서 우리는 웃음을 찾았다. 때로는 누군가의 유머러스한 한마디가 우리 모두를 웃게 했고, 그 웃음은 우리의 피로를 잊게 해주었다. 훈련의 고통 속에서도, 우리는 서로를 의지하며 버텨냈다.

모든 훈련이 기억에 남았지만, 훈련 중 가장 기억에 남는 것은 야간 행군이다. 어두운 밤, 달빛조차 희미한 숲속에서 우리는 긴 행군을 이어갔다. 그때마다 나는 내 안의 두려움과 싸워야 했다. 우리는 무거운 군장을 메고 험난한 산길을 오르내렸다. 발목이 삐끗하고, 무릎이 시큰거렸지만, 우리는 절대 멈추지 않았다. 동기들의 존재는 나에게 큰 힘이 되었다. 서로를 격려하며, 우리는 한 걸음 한 걸음 앞으로 나아갔다. 그 길 끝에서 우리는 진정한 전우애를 느낄 수 있었다. 목적지에 도착했을 때의 그 성취감은 이루 말할 수 없는 기쁨이었다. 우리는 서로의 어깨를 두드리며, 침묵 속에서 그 순간을 함께 축하했다.

그 시절의 나는 아직 많이 미숙했다. 하지만 훈련을 통해, 점점 더 강해지고 있었다. 육체적인 강함뿐만 아니라, 정신적인 강함도 함께 키워나갔다. 그것은 단순한 훈련의 결과가 아니었다. 그것은 함께한 동기들, 우리를 이끌어 준 훈육관들의 교감 속에서 얻어진 것이었다.

ROTC 후보생 시절, 나는 많은 것을 배웠다. 그중에서 가장 큰 가르침은 '함께'라는 단어였다. 혼자서는 결코 이룰 수 없는 것들이, 함께할 때 가능해진다는 것을 깨달았다. 우리는 서로의 부족한 부분을 채워주며, 함께 성장해 나갔다. 그것이 바로 진정한 팀워크였다.

또한 그 시절은 단순한 군사훈련의 시간이 아니었다. 그것은 나 자신을 발견하고, 성장해 나가는 과정이었다. 또한 진정한 나를 찾아가는 여정을 시작이었다. 그 여정은 지금도 계속되고 있으며, 앞으로도 계속될 것이다. 또한 그 시절의 경험은 나에게 철학을 가르쳐 주었다. 그것은 결코 쉽게 얻어진 것이 아니었다. 훈련의 고통 속에서, 나는 내 안의 두려움과 맞서 싸워야 했다. 하지만 그 두려움 속에서도, 나는 희망을 발견할 수 있었다.

그 시절의 나는 꿈이 많았다. 군인이 되어 국가와 국민을 지키겠다는 꿈, 그리고 그 꿈을 이루기 위해 끊임없이 노력하겠다는 다짐, 하지만 그 꿈을 이루기 위해서는 많은 어려움과 도전이 기다리고 있었다. 나는 그 도전을 두려워하지 않았다. 오히려 그 도전을 통해 더 강해질 수 있다는 믿음이 있었다.

ROTC 후보생 시절은 나에게 있어 잊지 못할 추억이다. 그 시절을 떠올릴 때마다, 나는 여전히 그때의 나로 돌아간다. 힘들고 고단했지만, 그 속에서 진정한 나를 발견할 수 있었던 시간이었고, 그 시절의 경험은 나를 오늘의 나로 만들어 주었다. 그 시절의 동기들, 함께했던 순간들, 그리고 그 속에서 얻은 가르침은 내 인생의 소중한 자산이다. 나는 그 시절의 기억을 마음 속 깊이 간직하며, 앞으로 나아가고 있다.

내 평생의 동료이자, 형제들

5만 촉광의 빛나는 소위 계급장

ROTC 후보생 시절, 끝날 것 같지 않았던 나날이 지나고, 마침내 육군 소위로 임관하는 순간이 다가왔다. 2년 동안 대학교 학업과 병행하며 이어진 고된 군사훈련과 교육을 마치고, 드디어 대한민국의 자랑스러운 장교가 되어 서게 될 그 순간. 나는 그 기쁨과 자부심 속에서 숨을 쉴 수 없을 만큼 벅차올랐다. 하지만 동시에 어깨를 누르는 책임감과 압박도 함께 다가왔다.

임관식은 대통령 주관으로 엄숙하고 장엄한 분위기 속에 진행되었다. 가족과 친구들이 우리를 축하하기 위해 모여 있는 모습이 제일 먼저 눈에 들어왔다. 특히 어머니의 얼굴을 마주했을 때, 나는 그동안의 고생과 노력이 주마등처럼 스쳐 갔다. 어머니는 혼자서 우리를 키우기 위해 밤낮없이 일하셨고, 그 덕분에 내가 이 자리에 설 수 있었다. 어머니의 얼굴에는 자부심과 기쁨이 가득했고, 나는 그 모습을 보며 더욱 큰 책임감을 느꼈다.

임관식장에 선 우리 동기들은 단정한 정복을 입고 있었고, 서로에게 격려의 눈빛을 보내며 긴장을 풀기 위해 애셨다. 우리는 2년 동안 함께 훈련하고 성장해 온 특별한 동기들이었다. 그들은 나에게 단순한 친구를 넘어 전우이자 형제였다. 함께 했던 모든 순간이 머릿속을 스쳐 갔다.

임관식의 절정은 우리가 모두 소위 계급장을 받는 순간이었다. 그 계급장은 우리가 대한민국 장교로서 첫발을 내딛는 상징이었다. 계급장을 받는 그 순간, 그것은 단순한 금속 조각이 아니라 앞으로 감당해야 할 책임과 의무의 상징이었다.

계급장을 받는 순간, 그동안의 모든 노력과 고생들이 떠올랐다. 새벽부터 모여 체력 단련을 하며 흘렸던 땀, 군사교육을 받으며 느꼈던 긴장과 불안, 동기들과 함께했던 모든 순간이 머릿속에 그려졌다. 나는 이제 진정한 군인이 되었고, 그동안의 노력이 헛되지 않았음을 느꼈다. 임관식이 끝난 후 우리는 서로의 계급장을 확인하며 축하해주었다. 동기들과의 기쁨을 나누며 우리는 그동안의 힘든 시간을 이겨낸 것에 대한 보람과 성취감을 함께 느꼈다.

모든 식이 끝나고 나는 어머니를 찾아갔다. 어머니는 눈물이 글썽한 채 나를 꼭 안아주셨다. 그 순간 나는 어머니께서 얼마나 많은 희생과 노력을 하셨는지를 다시 한번 깨달았다. 어머니의 품에서 나는 어린 시절의 기억이 떠올랐다. 아버지를 잃고 힘들었던 시간, 그 시간을 이겨내기 위해 노력했던 나의 모습이 생각났다. 어머니와 동생의 얼굴을 보며 나는 앞으로도 최선을 다해 군 생활을 하겠다고 다짐했다.

임관 후 첫 임무를 받기 전, 나는 새로운 시작에 대한 기대와 두려움이 교차했다. 이제 나는 소위로서 부대를 이끌고 장병들을 지휘해야 할 책임이 있었다. 하지만 그 책임감은 나에게 두려움보다는 더 큰 동기부여가 되었다. 나는 동기들과 함께했던 훈련과 교육을 바탕으로 최선을 다해 임무를 수행할 준비가 되어 있었다.

ROTC 후보생 시절 나는 많은 것을 배웠다. 체력적으로나, 정신적으로나 나는 더 강해졌고, 자신감을 얻었다. 동기들과 함께한 시간은 나에게 큰 자산이 되었고, 우리는 서로의 존재를 통해 더욱 성장할 수 있었다. 이러한 경험들은 나의 군 생활에 큰 영향을 주었고, 나를 지금의 나로 만들어 주었다.

5만 촉광에 빛나는 소위 계급장. 나는 그 계급장을 보며 항상 나의 책임을 되새기고, 최선을 다해 임무를 수행하고자 노력했다. 임관 후 나는 새로운 시작을 맞이하며 그동안의 노력과 경험을 바탕으로 더욱 성장하고 발전할 수 있었다.

나는 소위로서 첫발을 내디뎠고, 앞으로의 군 생활에서 더 많은 도전과 성취를 경험할 준비가 되어 있었다.

처음 계급장을 받던 순간 느꼈던 감정과 다짐은 나에게 큰 힘이 되었고, 나는 그 힘을 바탕으로 최선을 다해 지난 19년여를 한 길 같이 걸어왔다. 육군 소위로 임관하는 순간은 내 인생 전부를 통틀어 나에게 있어 가장 큰 자부심과 기쁨의 순간이었으며, 그 순간은 앞으로도 나에게 큰 영감을 줄 것이다.

> "소위 계급장은 장교로서
> 첫발을 내딛는 이들의
> 용기와 희망을 상징하며,
> 새로운 여정의 시작을 알리는 것으로
> 그것은 감당해야 할 책임과
> 영광의 무게를 동시에 지닌
> 꿈을 향한 첫걸음이다."

우리는 대한민국 1%,
낯선 환경 속 적응기

사람은 누구나 낯선 환경에 처음 발을 들일 때 두려움과 설렘을 동시에 느낀다. 새로운 시작은 언제나 그렇다. 나에게도 그런 순간이 있었다. ROTC 후보생 시절을 지나 마침내 육군 소위로 임관한 순간, 나의 인생은 새로운 장으로 접어들었다.

나의 군 생활 첫 보직은 21사단 GOP 소초장이었다. 나는 큰 자부심과 동시에 막중한 책임감을 느꼈다. GOP, 즉 일반전초(General Outpost)는 비무장지대(DMZ)와 맞닿아 있는 군사 지역으로, 대한민국의 최전방을 지키는 중요한 임무를 수행하는 곳이다. 이곳은 아무나 갈 수 없는, 선택된 군인들만이 갈 수 있는 곳으로 여겨졌다. 당시 우리는 스스로를 '대한민국 1%'라 자부했다.

GOP에 도착한 첫날, 낯선 환경에 적응해야 한다는 사실을 실감했다. 비무장지대와 인접한 이곳은 항상 긴장감이 감돌았다. 언제 어떤 일이 벌어질지 모르는 상황 속에서 우리는 항상 대비하고 있어야 했다. 처음에는 그 긴장감이 나를 지치게 했지만, 점차 그것이 곧 우리의 일상임을 받아들이게 되었다.

GOP에서의 생활은 하루하루가 도전의 연속이었다. 눈을 뜨면 보이는 것은 철조망과 감시초소, 그리고 멀리 바라보이는 북쪽의 풍경이었다. 우리 소초는 철저한 경계 작전을 수행하며 대한민국의 안전을 지키고 있었다.

매일 밤, 별이 빛나는 하늘 아래에서 나는 내 자신에게 다짐하곤 했다. '여기서 내 역할을 다하는 것이 곧 우리나라를 지키는 것이다.' 처음에는 모든 것이 낯설고 힘들었다. 특히, GOP에서의 생활은 다른 군부대와는 달랐다. 극한의 긴장 속에서 언제나 최상의 상태를 유지해야 했고, 서로에게 의지하며 하루하루를 버텨나갔다. 밤낮을 가리지 않고 이어지는 경계근무와 작전은 우리를 지치게 했지만, 그럴수록 동료들과의 유대감은 더욱 강해졌다.

GOP에서의 생활은 나에게 많은 것을 가르쳐주었다. 첫째, 진정한 리더십이 무엇인지를 배웠다. 나는 소초장으로서 부하 장병들을 이끌어야 했고, 그들의 안전과 안위를 책임져야 했다. 매 순간 결정을 내릴 때마다 나는 그들의 눈을 마주하며 결단을 내렸다. 부하들이 나를 믿고 따를 수 있도록, 나는 언제나 솔선수범하려고 노력했다.

둘째, 팀워크의 중요성을 깨달았다. GOP는 혼자서 지킬 수 없는 곳이다. 우리는 서로의 등을 맡기며, 하나의 팀으로서 움직였다. 때로는 의견 충돌이 생기기도 했지만, 그럴 때마다 우리는 대화를 통해 해결하고, 다시 하나로 뭉쳤다. 그 과정에서 나는 인간관계의 중요성과 갈등 해결의 방법을 배울 수 있었다.

셋째, 극한 상황에서도 흔들리지 않는 정신력이 필요함을 배웠다. GOP에서의 생활은 언제나 긴장의 연속이었다. 한순간의 방심이 큰 사고로 이어질 수 있었기 때문에, 우리는 항상 최상의 상태를 유지해야 했다. 그 과정에서 스스로를 다스리는 법을 배우게 되었다. 마음속의 두려움을 극복하고, 오직 임무에만 집중하는 법을 터득했다.

GOP에서의 경험은 내 인생에서 결코 잊을 수 없는 시간이었다. 매 순간이 도전이었고, 매 순간이 배움의 연속이었다. 대한민국의 최전방을 지키는 일은 절대 쉽지 않았지만, 그곳에서의 경험은 나를 더욱 강하게 만들었다. 나는 그곳에서 진정한 군인으로 거듭날 수 있었다.

GOP에서 근무하는 동안, 나는 많은 동료들과 함께했다. 그들은 각기 다른 배경과 이야기를 가지고 있었지만, 하나같이 대한민국을 지키겠다는 의지로 뭉쳐 있었다. 우리는 서로를 격려하며 힘든 시간을 이겨냈고, 그 과정에서 깊은 우정을 쌓았다. 그들은 나에게 큰 힘이 되었고, 나 또한 그들에게 든든한 버팀목이 되고자 노력했다.

지금 이 순간에도 GOP에서 제 역할을 다하고 있는 군인들이 있다. 그들은 매일매일 대한민국의 안전을 위해 헌신하고 있다. 나는 그들이 자랑스럽고, 그들의 헌신이 헛되지 않기를 바란다. 그들이 있기에 우리는 안전할 수 있고, 그들의 노고 덕분에 대한민국은 평화를 지킬 수 있다.

GOP에서의 경험은 내 군 생활의 중요한 이정표였다. 그곳에서 나는 진정한 군인이 되는 법을 배웠고, 나라를 지키는 것이 무엇인지를 깨달았다. 나는 그곳에서 얻은 경험과 교훈을 바탕으로 앞으로도 계속해서 대한민국을 위해 헌신할 것이다.

우리의 '대한민국 1%'는 언제나 그곳에서, 비무장지대의 최전방에서, 우리의 안전을 지키고 있다. 그들의 헌신과 노력에 경의를 표하며, 나는 오늘도 그들을 생각하며 나의 임무를 다하고자 한다. GOP에서의 경험은 나에게 큰 자부심과 함께 무거운 책임감을 남겼다. 나는 그곳에서 배운 모든 것을 마음에 새기며, 앞으로도 계속해서 대한민국을 위해 헌신할 것이다. 그것이 바로 내가 선택한 길이며, 내가 걸어가야 할 길이기 때문이다.

군사령관 소초방문

청춘에서 군인으로
정예 신병 육성의 시간

우리 장병들은 군 복무를 통해 자신의 한계를 뛰어넘고 성장하지만, 그 출발점은 언제나 신병교육대대이다. 신병교육대대는 군대의 기초를 다지는 중요한 조직이다. 여기서 신병들은 군인의 기본 소양과 전투 기술을 익히고, 강인한 체력과 정신력을 배양하게 된다.

신병교육대대의 역할은 단순히 훈련을 시키는 것을 넘어서, 대한민국의 젊은 청춘들을 군인으로 변모시키는 과정이다. 이는 군대 전체의 전투력을 결정짓는 중요한 단계로, 정예 신병을 양성하는 것이 목표다.

2007년 7월, 나는 36사단 신병교육대대 본부중대장으로 보직되었다. 이곳에서 나는 수많은 신병을 보며, 그들이 대한민국의 정예 장병으로 성장하는 과정을 지켜보았다. 신병교육대대에서의 생활은 주말이 따로 없는 고단한 일상이지만 우리 군의 정예 장병을 육성하는 곳이란 점에서 보람된 곳이다.

신병들은 처음에는 모든 것이 낯설고 두려운 상태로 입대한다. 그러나 그들은 점차 군인의 자세를 익히고, 강인한 체력과 정신력을 배양해 나간다. 나는 이들이 군인의 기본 소양과 전투 기술을 습득하고, 팀워크와 협동심을 배양하는 과정을 직접 지켜보았다. 대대 본부중대장이라는 직책은 직접적으로 신병들을 교육하지 않지만, 식사, 피복 등 신병 교육이 원활히 진행될 수 있도록 지원하는 역할을 맡았다. 신병들이 최상의 교육훈련을 받을 수 있도록 환경을 조성하고, 그들이 필요로 하는 모든 지원을 제공하는 것이 나의 주 임무였다.

신병교육대대의 일상은 언제나 바쁘고 치열했다. 매일 아침 일찍부터 시작되는 일과는 신병들의 교육과 훈련을 지원하기 위한 것이었다. 훈련장의 소리, 교관들의 목소리, 신병들의 구호가 어우러져 대대는 항상 활기로 가득 찼다. 그 속에서 나는 중대원들과 함께 신병들이 필요로 하는 모든 것을 준비하고, 지원하며 하루하루를 보냈다. 그 과정에서 나는 이들이 점차 대한민국의 정병으로 변모해 가는 모습을 보며 큰 보람을 느꼈다.

본부중대장으로서의 1년은 빠르게 지나갔다. 그 후, 나는 대대 인사장교로서 2년을 더 근무하게 되었다. 인사장교의 역할 역시 중요했다. 신병들의 입대부터 퇴소까지 모든 과정을 관리하고, 그들이 필요한 모든 인사 행정을 처리하였다. 인사장교로서의 2년은 나에게 많은 것을 가르쳐 주었다. 인사 행정의 중요성을 깨닫게 되었고, 그 과정을 통해 신병들의 필요를 이해하게 되었다. 나는 그들의 어려움과 고민을 이해하게 되었고, 그들의 성장을 돕는 데 큰 보람을 느꼈다.

신병교육대대는 군대 전체의 전투력을 결정짓는 중요한 단계다. 여기서 신병들이 어떤 교육을 받고, 어떤 정신력을 배양하는지가 그들이 향후 군 생활에서 어떻게 활약할지를 결정짓는다. 신병들을 훈련하는 것을 넘어서, 그들을 정예 장병으로 성장시키는 데 중요한 역할을 한다.

특히, 대한민국 군에서는 징병제를 운용하고 있어, 신병교육대대의 역할이 더욱 중요하다. 모든 신병이 기초 군사훈련을 통해 청춘에서 군인으로 거듭나야만, 전군의 전투력이 보장될 수 있다. 신병교육대대는 이와 같은 중요한 역할을 수행하며, 대한민국의 안보를 지키는 데 중요한 기초를 다진다.

신병교육대대에서의 훈련은 단순히 신체적인 강화를 넘어서, 정신적 성장을 끌어낸다. 처음 입대한 신병들은 두려움과 불안

속에서 훈련을 시작하지만, 시간이 지날수록 자신감과 자부심을 가지게 된다. 그들은 동료들과 함께 어려움을 극복하며, 진정한 군인으로 거듭난다.

나 또한 이 과정을 통해 많은 것을 배웠다. 신병교육대대에서 약 3년간을 생활하며, 그들의 성장 과정을 지켜보는 것은 나에게 큰 보람이었고, 나 역시 이들과 함께 성장해 나갔다. 신병들이 처음 입대했을 때와 훈련을 마치고 나갈 때의 모습은 확연히 달라진다. 그들은 더 이상 두려움에 떠는 젊은 청춘이 아니라, 대한민국의 자랑스러운 군인으로 변모한다.

신병교육대대에서의 경험은 나에게 큰 보람과 성취감을 안겨주었다. 대한민국의 청춘들이 군인으로 변모해 가는 과정을 지켜보며, 나는 이들이 향후 군 생활에서 어떠한 활약을 할지 기대하게 되었다.

나는 정예 신병은 우연히 만들어지지 않는다고 생각한다. 그것은 수많은 사람들의 노력과 헌신의 결과이다.

신병교육대대는 대한민국 군대의 기초를 다지는 중요한 역할을 하며, 이곳에서 육성된 정예 군인들은 대한민국의 안보를 지키는 중요한 역할을 할 것이다.

너 장기야?
장기 선발의 순간

ROTC 후보생 시절을 지나 대한민국의 장교로 군인의 길을 걷기 시작한 나에게, 군대는 단순한 직장이 아닌 삶의 전부였다. 군 생활을 시작하며 많은 선배와 동료들을 만났고, 초급장교 시절 그들은 늘 같은 질문을 던졌다. "너 장기야?" 군 복무의 길을 걷고자 하는 의지를 묻는 그 질문은 단순한 호기심을 넘어서, 군 생활의 방향을 결정짓는 중요한 순간이었다.

육사 출신 장교들과는 달리, ROTC와 3사, 학사 등 타 출신 장교들은 대부분 의무 복무 즉, 단기 복무로 군 생활을 시작한다. 군대라는 조직에서 장기 복무를 결정하는 것은 개인의 인생에서 매우 중요한 선택이다. 그 선택의 순간을 맞이하기 전까지 나 역시 많은 고민과 갈등을 겪었다.

장기 복무를 희망하는 장교는 많지 않다. 특히 요즘은 장기 복무를 선택한 장교들마저도 중도에 전역을 고민하는 경우가 많다. 이는 군 생활의 고단함과 불확실한 미래 때문일 것이다. 그러나 나는 제2연평해전의 영웅들처럼 국가와 국민을 위해 헌신하는 길을 선택하고 싶었다. 그 결심은 단순한 충동이 아니라, 깊은 고민 끝에 내린 결단이었다.

장기 복무를 희망한다는 의지를 표명하는 순간은 나에게도 큰 도전이었다. 선배들의 "너 장기야?"라는 그 물음 속에는 단순한 호기심이 아니라, 군인으로서의 진정한 의지와 결단을 확인하고자 하는 의미가 담겨 있기 때문이다. 그 질문을 받을 때마다 나는 나 자신에게 되묻곤 했다. '나는 정말로 이 길을 계속 걸어갈 준비가 되어 있는가?'

장기 복무는 큰 결단을 요구했다. 장기 복무를 결정하기까지 GOP와 신병교육대대에서 나는 앞서 군인의 길을 선택한 많은 선배 장교를 보며 많은 것을 배우고 경험했다. 그리고 나는 그 기간 나 자신을 시험하며, 나의 결단을 더욱 굳건히 할 수 있었다.

장기 복무를 결정하는 것은 단지 군복을 입고 있는 시간의 연장을 의미하는 것이 아니다. 그것은 국가와 국민을 위해 자신의 삶을 헌신하는 것을 의미하는 것이다. 나는 그 결정을 내리기 위해 많은 밤을 고민하며 지새웠다. 가족과 친구들의 의견을 듣고, 선배들의 조언을 구했다. 그 과정에서 나는 군인이란 무엇인가에 대해 깊이 생각하게 되었다.

장기 복무를 결정하는 순간, 나는 나 자신에게 약속했다. '나는 이 길을 끝까지 걸어가리라.' 그 결단은 나에게 큰 힘이 되었고, 군 생활의 모든 어려움을 극복할 수 있는 원동력이 되었다. 나의 앞날이 불확실하더라도, 나는 그 길을 걸어갈 준비가 되어 있었다.

요즘 많은 장기 복무자가 중도 전역을 고민하고 있다는 소식을 들을 때마다, 나는 안타까움을 느낀다. 그들은 나와 같은 결단을 내리고 군 생활을 시작했을 것이다. 나는 그들이 그 결단을 되새기고, 다시 한번 자신의 길을 확신할 수 있기를 바란다.

장기 복무를 결정한 나에게, 군 생활은 단순한 직장이 아니라, 삶의 전부가 되었다. 나는 국가와 국민을 위해 헌신하는 군인의 길을 선택했고, 그 길을 걸어가는 동안 많은 것을 배웠다. 군대는 나에게 많은 것을 가르쳐주었고, 나는 그 속에서 성장할 수 있었다.

나의 결단은 나만의 것이 아니었다. 그것은 내 가족과 동료들에게도 큰 영향을 미쳤다. 가족들은 나의 결단을 지지해 주었고, 동료들은 나의 결단을 존중해주었다. 나는 그들의 지지와 존중 속에서 더 강한 군인이 될 수 있었다. 그들은 나에게 큰 힘이 되었고, 나는 그들의 지지 속에서 나의 길을 계속 걸어갈 수 있었다.

나는 나의 결단과 그 결단을 통해 얻은 교훈을 나누고 싶다. 그것은 나에게 큰 의미를 주었고, 많은 것을 배울 수 있는 소중한 시간이었다. 나는 그 시절의 경험을 통해 성장할 수 있었고, 군 복무를 마치고 전역하더라도 국가와 국민을 위해 헌신하는 길을 걷겠다고 다짐했다.

지금도 많은 군인들이 자신의 결단을 되새기며 군 생활을 이어가고 있다. 그들은 나와 같은 고민과 갈등을 겪었을 것이고, 그 과정에서 많은 것을 배웠을 것이다. 나는 그들이 그 결단을 통해 더 강한 군인이 되기를 바란다. 그들의 결단이 헛되지 않기를, 그들이 국가와 국민을 위해 헌신할 힘이 되기를 진심을 바란다.

"군인이 된다는 것은
국가 그 자체가 되는 것이다.
군인 된다는 것은 나를 버리고
국가를 위하는 사람이 된다는 거니까"

중대장도
중대장이 처음이라서

보병학교를 수료하고 대위로 진급한 후, 나는 중대장으로 보직되었다. 처음으로 맡는 지휘관의 자리, 그 무게는 마치 눈 덮인 산을 오르는 나그네의 발걸음처럼 무겁고도 설렜다. 수방사 예하 56사단의 중대장이 된 순간부터 내 어깨 위에는 엄청난 책임감이 얹혔다. 중대장이란 단순히 병력을 지휘하는 자리가 아니다. 그것은 그들의 삶의 궤적에 깊이 관여하며, 그들이 최상의 상태에서 임무를 수행할 수 있도록 이끄는 길잡이다.

지휘관으로서의 첫 경험은 내게 커다란 전환점이었다. 중대원들의 신뢰를 얻기 위해 나는 그들의 눈높이에서 소통하려 노력했다. 중대원들의 고민과 어려움을 귀 기울여 듣고, 때로는 엄격하게, 때로는 따뜻하게 다가가며 그들이 나를 믿을 수 있도록 했다. 그러나 병력 관리는 절대 쉽지 않았다.

부대에 전입한 한 신병은 처음 부대에 적응하지 못하고 탈영을 했고, 5시간 만에 부대로 돌아온 그의 눈에는 불안과 두려움이 가득했다. 나는 그와 많은 대화를 나누며 그의 마음을 이해하려 노력했다. 그의 이야기를 들으며, 나는 그의 아픔을 조금씩 이해하게 되었다. 그는 낯선 환경에 적응하기 어려워했고, 그 불안감이 탈영이라는 극단적인 선택으로 이어졌던 것이다.

오랜 시간 동안 진심 어린 대화를 나누고, 작은 목표들을 설정해 주었다. 그의 작은 성취를 칭찬하며 격려했다. 그는 점차 변화하기 시작했다. 그의 변화는 내게 큰 보람을 주었고, 진실한 관리가 얼마나 중요한지 깨닫게 해주었다. 그의 눈빛이 변해가는 과정을 지켜보며, 나는 진정한 리더십이 무엇인지 깨달았다. 시간이 지나 그는 더 이상 불안한 신병이 아닌, 우리 중대의 자랑스러운 에이스로 거듭났다.

2011년 여름, 우면산에서는 대규모 산사태가 발생했다. 수많은 민간인이 피해를 보았고, 우리는 그들에게 긴급히 손을 내밀어야 했다. 그 주말, 나는 중대원들과 함께 피해 지역으로 달려갔다. 밤낮을 가리지 않고 구호 활동을 펼쳤던 그때의 기억은 지금도 생생하다. 산사태 현장은 아비규환이었다. 무너진 집들과 길 잃은 사람들, 눈물과 땀이 뒤섞인 그곳에서 우리는 신속히 움직여야 했다.

피해 현장에서 우리 중대원들의 땀방울과 희생정신은 나를 깊이 감동하게 했다. 지친 몸을 이끌고도 서로를 격려하며 임무를 완수해 나가는 모습에서, 나는 큰 자부심을 느꼈다. 이러한 경험은 중대원들과 나의 유대감을 더욱 깊게 만들어 주었다. 특히, 어둠이 내려앉은 밤에도 멈추지 않고 일을 이어가는 중대원들의 모습은 나에게 큰 감동을 주었다. 우리는 서로의 손을 잡고, 어두운 밤을 밝혀나갔다.

내 마음은 조금씩 중대원들의 마음과 하나가 되어 흐르기 시작했다. 중대원들이 나를 믿고 따를 때, 그 순간이야말로 지휘관으로서의 참된 의미를 깨닫게 되는 순간이었다.

어느덧 시간은 흘러, 우리 중대는 연말에 여러 평가에서 우수한 성적을 거두었다. 연대 선봉중대(최우수 중대)로 선정되었고, 전술훈련평가에서도 최우수 중대로 뽑혔다. 종합전투력측정에서도 최우수 중대의 영예를 안았다. 이러한 성과는 단순히 나 혼자 이룬 것이 아니었다. 모든 중대원이 하나 되어 노력한 결과였다.

각각의 평가에서 최우수 중대로 선정된 것은 우리 중대의 철저한 훈련과 준비를 증명하는 것이었다. 우리는 각자의 역할을 충실히 수행했고, 협력하여 최고의 결과를 만들어냈다. 이러한 성과는 우리 중대원들에게도 큰 자부심을 주었고, 나에게도 큰 영광이었다. 그들은 나에게 있어 더할 나위 없이 자랑스러운 전우들이었다. 우리 중대는 작은 부대였지만, 그 안에는 강한 의지와 열정이 가득했다.

중대장으로서의 첫 경험은 나에게 많은 것을 가르쳐 주었다. 지휘관의 책임과 중대원들과의 신뢰, 그리고 그들이 필요할 때 진심으로 다가가야 한다는 것을 깨달았다. 중대장의 역할은 단순히 지휘하는 것이 아니라, 그들의 삶의 일부가 되어 함께 성장해 나가는 것이었다. 이러한 경험은 나의 군 생활에서 가장 값진 시간이었으며, 앞으로도 그 기억을 소중히 간직할 것이다.

이 길 위에서, 나는 중대원들과 함께 걸었다. 우리는 서로의 마음을 나누고, 함께 성장했다. 중대장으로서의 시간은 내 인생의 한 페이지에 깊은 흔적을 남겼다. 그들은 나의 가족이자, 동료이며, 나의 일부였다. 그들과 함께했던 모든 순간이 내게는 소중하다. 이 글을 통해 우리 중대원들에게 깊은 감사와 사랑을 전하고 싶다.

삶의 여정 속에서 만난 그들, 그들과 함께한 모든 순간이 내게는 무한한 의미로 다가온다. 우리는 함께 울고, 함께 웃으며 함께 성장해 나갔다. 나는 그들에게서 배운 것을 가슴 깊이 새기며, 앞으로의 길에서도 그 기억을 잊지 않을 것이다. 그들과 함께한 시간은 내 인생의 가장 빛나는 순간들이었다. 이 순간들을 떠올리며, 나는 다시금 힘을 얻고, 새로운 도전을 향해 나아갈 것이다.

불패중대원들과 북한산 정상에서

또 다른 도전,
예비전력의 중요성

수방사 예하 56사단 중대장의 임무를 마치고 동원사단인 66사단 중대장으로 보직되었다. 두 번째 중대장이라는 무게감과 기대는 내 마음속 깊이 파고들었다. 동원사단으로 오기 전 예비전력에 관해 공부하면서 그 중요성에 대해 깊이 깨달았다. 예비전력은 평시에는 우리 주변의 평범한 이웃으로 살아가지만, 유사시 국가를 지키는 주요 전력이 된다. 이러한 현실은 지금의 안보 상황과 인구절벽 문제로 인해 더욱 뚜렷해졌다.

현대의 안보 상황은 복잡하다. 전통적인 군사 위협만 있는 것이 아니라, 사이버 공격, 테러, 비대칭 공격 등 다양한 형태로 다가오고 있다. 예비전력은 정규군만으로는 대응하기 어려운 이러한 위협에 대해 군사력의 빈틈을 메우고 신속하게 전력을 보강할 수 있는 중요한 전력이다.

인구절벽 문제는 우리에게 더 큰 도전을 안겨준다. 저출산과 고령화로 인해 병역자원이 줄어들고, 정규군 규모를 유지하는데 어려움이 생기고 있다. 이런 상황에서 예비전력의 중요성은 더욱 커진다. 예비전력은 인구 감소에 대응해 필요시 신속하게 전력으로 전환할 수 있는 유연성을 제공하며, 국가 안보를 유지하는 데 필수적인 역할을 한다.

나는 중대장으로서 예비전력의 중요성에 공감하고, 예비군 훈련을 강화하는 데 최선을 다했다. 예비군은 평상시에는 민간인으로 살아가지만, 전시나 유사시에는 군사작전에 투입된다. 그러기에 예비군 훈련의 실효성을 높이기 위해 실전과 같은 훈련환경을 조성하고자 했고, 단순한 형식적인 절차가 아닌, 실제 전투 상황을 염두에 둔 철저하고 체계적인 준비가 필요했다.

첫째, 전투 중심의 훈련을 위해 예비군 훈련장은 전장 실상에 맞게 정비했다. 장애물과 음향시설을 보수하고, 다양한 상황조치 훈련을 통해 예비군이 땀 흘리며 실력을 다질 수 있는 환경을 조성했다. 부대의 임무와 역할을 고려해 훈련 과제를 선정하고, 자율참여형 훈련을 통해 예비군들이 스스로 판단하며 훈련을 받을 수 있도록 했다.

둘째, 현장 중심의 훈련을 위해 훈련은 입소 시부터 퇴소 시까지 동참 식으로 진행했다. 훈련의 주관은 일부 동원 관계관이 아니라 지휘관 중심으로 진행했고, 부대의 전 역량을 집중해 기능별, 직책별로 업무를 분담했다. 전 간부가 교관 역할을 맡아 훈련이 원활하게 진행되도록 했다. 지휘관 및 참모들은 현장에서 훈련을 관찰하고 실시간 발생하는 안전 위해 요소와 제한사항을 확인하고 조치했다.

셋째, 사람 중심의 예비군 훈련을 위해 훈련 준비 과정에서 정성을 다하고, 안전사고와 민원을 예방하기 위한 활동을 강화했다. 예비군들이 훈련에 집중할 수 있도록 화장실과 주차시설 등 편의시설을 보완하고, 훈련장의 안전 위해 요소를 완전히 제거했다. 사격장의 경우 도비탄 방지를 위한 안전 방호벽 설치, 법사면 보수, 탄두 회수함 내 고무 충전재 보충 등 세심한 부분까지 챙겼다. 훈련 중에는 직접 실시간으로 통제하며 안전을 확인했다. 또한 현장에서 민원실을 운영해 예비군들의 민원을 즉시 해결할 수 있는 체계를 유지했다. '전투 중심의 더 강하고, 현장 중심의 더 완벽하며, 사람 중심의 더 따뜻한 예비군 훈련'을 목표를 삼아 부대 전 역량을 집중했다.

예비군의 사기 진작도 중요한 과제였다. 예비군은 자부심을 가지고 훈련에 임해야 전시 상황에서도 효과적으로 임무를 수행할 수 있다. 나는 예비군과의 소통을 강화하고, 그들의 의견을 존중하며 훈련 환경을 개선하고자 했다. 예비군의 노고를 인정하고 격려하는 다양한 프로그램을 도입해 그들의 사기를 높이고자 했다.

예비군은 단순히 비상시에 투입되는 인력이 아니다. 그들은 국가 안보의 중요한 축을 이루고 있으며, 그 역할과 책임은 매우 크다. 이에 나는 중대장으로서 예비군들에게 그들의 역할과 책임에 대해 명확히 인식시키고자 했다.

예비전력은 미래의 안보 상황에서도 중요한 역할을 할 것이다. 기술의 발전과 함께 전쟁의 양상은 계속 변화하고 있으며, 이러한 변화에 대응하기 위해서는 예비전력의 전략적 중요성을 인식하고 그들의 역량을 지속적으로 강화해야 한다. 나는 예비전력의 중요성을 인식하고, 내 위치에서 내가 할 수 있는 방법으로 그들의 전투력을 극대화하기 위한 다양한 방안을 모색할 것이다.

동원사단 중대장의 임무는 나에게 또 다른 도전이었고, 많은 것을 배우고 깨닫게 해주었다. 예비전력의 중요성은 현재와 미래의 안보 상황에서 그 어느 때보다도 커지고 있다. 많은 이들이 예비전력의 중요성을 인식하고, 그들의 역량을 극대화하기 위해 지속적으로 노력하길 바란다. 이러한 노력은 국가 안보를 지키는 중요한 역할을 할 것이다.

전설중대원들과 용추계곡에서

Part 2
새로운 도전: 바람과 함께 날아오르다

작전장교의 숨 가쁜 나날

군인의 삶은 변화무쌍하다. 변화의 중심에서 우리는 매일 새로운 도전과 마주한다. 2차 중대장의 임무를 마친 후, 나는 사단 작전처로 보직되었다. 대위 진급 후 지휘관으로만 생활했던 나에게 작전장교의 역할은 이전과는 전혀 다른 차원의 도전이었다. 사단 작전처에서의 시간은 내가 군인으로서 한층 더 성장할 기회였으며, 그 시간은 숨 가쁘게 흘러갔다.

작전장교로서의 첫날, 나는 작전처의 문을 열고 들어섰다. 그곳은 긴장과 열기가 감도는 곳이었다. 작전처는 항상 바쁘고, 실전과 같은 긴장감이 흐르고 있었다. 나는 이곳에서 새로운 역할을 맡게 되었다는 것에 대해 기대와 두려움을 동시에 느꼈다.

작전장교의 임무는 단순한 행정 업무가 아니었다. 그것은 부대의 모든 작전계획을 수립하고, 조율하며, 실행하는 중요한 역할이었다. 나는 부대의 모든 움직임을 관리하고, 각종 부대계획을 세우며, 상황을 평가해야 했다. 그 과정에서 많은 사람들과 협력하고, 긴밀하게 소통해야 했다.

첫날부터 나는 바쁜 일상에 빠져들었다. 작전회의, 보고서 작성, 작전계획 수립 등 하루하루가 눈 깜짝할 사이에 지나갔다. 매일 아침 출근하여 밤늦게 퇴근하는 일이 반복되었다. 그곳에서 나는 끊임없이 나 자신과 싸워야 했다. 피로와 스트레스 속에서도 최선을 다해야 했다.

기억에 남는 것 중 하나는 우리는 실전을 방불케 하는 대규모 동원훈련을 준비하고 있었다. 동원훈련을 계획하는 과정에서 수많은 변수와 상황을 고려해야 했다. 훈련 입소 대상, 훈련 장소, 훈련 물자 등 모든 것을 고려해야 했고, 이 모든 것이 나의 펜 끝에서 시작되었다. 그때마다 나는 막중한 책임감을 느끼며, 최선을 다해 계획을 세웠다. 훈련 당일, 나는 긴장된 마음으로 현장을 지켜보았다. 모든 것이 계획대로 진행되기를 기도하며, 나는 각 부대의 움직임을 주의 깊게 살폈다. 예상치 못한 상황이 발생할 때마다, 빠르게 판단하고 대처해야 했다. 그 순간순간이 나에게는 큰 시험이었다. 하지만 그 과정에서 나는 많은 것을 배울 수 있었다.

훈련이 끝나고 나는 작전장교의 역할은 단순한 계획수립이 아닌 그 이상의 것이란 것을 느낄 수 있었다. 그것은 사람과의 관계를 형성하고, 협력하는 일이었다. 각 부대 작전관계관과 긴밀하게 소통하며, 서로 의견을 나누며, 최상의 계획을 수립하고, 실시간 상황을 판단하고 대응하는 것이었다.

작전장교로서의 시간은 끊임없는 도전과 배움의 연속이었다. 매 순간 새로운 상황과 마주하며, 나는 나 자신을 단련하고, 성장해 나갔다. 그 속에서 얻은 경험과 교훈은 내 인생의 큰 자산이 되었다.

매일 해가 뜨기 전 출근해 별을 보며 퇴근했지만, 행복했다. 그 어둠 속에서 하루의 시작과 끝은 내게 특별한 의미를 주었다. 해가 뜨기 전의 차가운 공기, 조용한 아침의 적막 속에서 나는 나 자신과 마주할 수 있었다. 그리고 별빛 아래에서의 퇴근길, 그 길은 하루의 성취를 되새기며 나를 다시금 다짐하게 했다. 피로와 스트레스 속에서도 날마다 버틸 수 있었던 것은 바로 그 작은 행복 때문이었다. 눈 부신 햇살이 아닌, 어둠 속의 조용한 빛이 나를 지탱해 주었다. 사단 작전처에서의 숨 가쁜 나날 속에서도 나는 그 작은 행복을 발견하며 하루하루를 살아갔다. 해가 뜨기 전과 별이 뜬 후의 시간이 나에게 주는 그 평온함이 있었기에, 나는 그 힘든 일상을 견딜 수 있었다.

작전장교로서의 숨 가쁜 나날, 그 속에서 나는 나 자신을 발견했고, 한층 더 성숙한 군인으로 거듭났다. 나는 그때의 기억을 간직하며, 현재도 앞으로도 계속해서 나아가고 있다.

"사람과의 관계 형성,
그 관계를 통한 협력과 소통,
이러한 과정은
우리가 수립한 계획을
더 완벽하게 만들어 준다."

작지만 강한 1%의 마법

하늘 아래 숨 쉬는 모든 것들은 각자의 자리에서 작은 기적을 일궈내고 있다. 나는 이따금 왕중추의 '디테일의 힘'이라는 책을 펼쳐보며, 그 속에서 작은 기적들이 어떻게 거대한 변화를 끌어내는지에 대한 이야기에 빠져들곤 한다. 저자는 책에서 100이 1%의 부족함으로 인해 아무것도 아닌 '0'이 될 수 있고, 반대로 1%의 정성으로 2배의 성공을 이룰 수 있다고 말한다.

이는 수학적으로는 말도 안 되는 소리일지 모르지만, 우리의 일상에서 누구나 한 번쯤은 경험해 본 작은 기적을 떠올려보라. 그럼, 고개를 끄덕이지 않을 수 없을 것이다.

어느 날, 나는 공원에서 산책하다가 무심코 땅을 바라보았다. 그곳엔 아주 작은 풀잎 하나가 바람에 흔들리고 있었다. 그 풀잎 하나는 아무도 주목하지 않았지만, 그 풀잎이 없는 세상을 상상해 보았다. 초원이 휑해지고, 자연의 조화가 깨질 것이다. 작은 것이지만, 그 존재가 주는 의미는 절대 작지 않다. 이것이 바로 '디테일의 힘'이 아닐지 생각했다.

생각해 보면, 제품에서 발견된 작은 결함으로 인해 출고된 모든 물량을 리콜해야 하는 상황이나, 단단히 조여지지 않은 나사못 하나 때문에 발생한 KTX 탈선 사고 등, 이처럼 1%의 세심함이 결여되면 대형 사고로 이어질 수 있다. 반대로, 1%를 개선하고 차별화하려는 노력은 엄청난 가치를 창출한다. 리츠칼튼 호텔이나, 노드스트롬 백화점이 세계 최고의 기업으로 거듭날 수 있었던 것도 그들의 서비스에 1%를 더한 결과였다.

1%는 작지만 결정적이다. 바로 '디테일의 힘'이다. 디테일은 우리 사회뿐 아니라 군에서도 강력하게 적용되고 있다. 군에서는 부족한 1%를 채우기 위해 모든 부문의 작은 일 하나하나에 심혈을 기울여야 한다. 그렇지 않으면, 지위가 올라갈수록 큰 그림을 그린다는 미명 아래 자꾸 작은 것을 놓치기 시작하고, 그러다 보면 매사에 정성이 없어져 결국은 큰 그림마저 놓치게 되는 상황에 직면하게 된다.

군 생활을 돌아보면, 중요한 일이나 훈련, 행사 등을 놓치는 경우는 거의 없다. 누구나 이를 추진하지만, 문제는 그 내면의 디테일이다. 예를 들어 전술훈련을 계획할 때, 훈련 대상, 시간, 장소 등의 큰 부분은 문제가 없으나, 세부적인 준비 사항이 미흡하여 투입된 병력이 목적도 성과도 없는 무의미한 행위를 반복하게 된다. 이는 시간 낭비일 뿐만 아니라 부대원의 사기마저 저하한다.

'대장부는 사소한 일에 신경 쓰지 않는다'는 옛말은 이제 통하지 않는다. 현대는 꼼꼼하게 일을 처리하고 빈틈없는 사람, 작은 것을 크게 볼 줄 아는 사람이 성공하는 시대다. 어떤 임무도 작은 것부터 관심을 두고 빈틈없이 시작한다면, 최소 절반의 성공은 보장될 것이다. 아직도 작은 것이 하찮아 보이는가?

작은 것은 작지 않다. 작은 것들이 모여 큰 것을 이루고, 작은 실수가 큰 문제를 일으킨다. 그러므로 우리는 언제나 작은 것에 집중하고, 작은 것을 놓치지 않는 습관을 길러야 한다. 그것이 성공의 비결이자, 삶의 지혜다. 작은 것을 소중히 여겨라, 그 안에 큰 힘이 숨겨져 있다.

사단 작전장교로 임무를 수행할 때, 나는 항상 작은 것에 주의를 기울였다. 계획을 세울 때마다 세부 사항 하나하나를 점검하고, 미흡한 부분이 없는지 반복해서 확인했다. 그 결과, 항상 높은 성과를 달성할 수 있었다. 이는 작은 디테일에 집중한 결과였다.

우리 부대에서는 전술훈련을 실시할 때, 훈련 대상, 시간, 장소 등의 큰 부분은 물론, 훈련의 세부 사항까지도 철저히 준비했다. 이를 통해 훈련은 더욱 효과적으로 진행되었다. 장병들은 자신감을 가지고 임무를 수행할 수 있었었다. 작은 디테일 하나하나가 모여 큰 성공을 이룬 것이다.

군대에서뿐만 아니라, 우리의 일상에서도 작은 디테일은 큰 차이를 만든다. 아침에 일어나 세수를 하면서도, 출근길에 걸음을 재촉하면서도, 하루 종일 바쁘게 일하면서도, 그 작은 순간들 속에서 놓치지 말아야 할 디테일이 숨어 있다. 일의 성공 여부는 그 디테일을 얼마나 신경 썼느냐에 달려있다.

나는 문득, 작은 것들이 모여 만들어지는 거대한 세상을 생각해 본다. 풀잎 하나, 바람 한 점, 물방울 하나, 이 작은 것들이 모여 초원을 이루고, 태풍을 만들고, 바다를 채운다, 우리의 일상도 그렇다. 아침에 일어나는 작은 움직임, 출근길의 작은 발걸음, 하루 종일의 적은 노력이 모여 우리의 인생을 만든다.

작은 것들은 눈에 잘 보이지 않는다. 그렇지만 그 작은 것들이 모여 이루는 큰 그림은 놀랍도록 아름답고, 강력하다. 그러므로 우리는 언제나 작은 것에 집중해야 한다. 작은 풀잎 하나가 사라지면 초원이 휑해지고, 작은 바람 한 점이 멈추면 태풍이 사라지고, 작은 물방울 하나가 증발하면 바다가 줄어든다.

작은 것은 작지 않다. 그 안에 거대한 가능성이 숨어 있다. 작은 것을 소중히 여기는 태도, 그것이 바로 우리 삶을 풍요롭게 만드는 힘이다. 오늘도 우리는 작은 것의 마법을 믿고, 그 작은 것들을 소중히 여기는 하루를 살아가야 한다. 그 작은 것이 우리의 삶을 빛나게 할 것이다.

아침 해가 떠오르는 순간, 나는 매일 새로운 다짐을 한다. 오늘도 작은 것에 충실해지자. 오늘도 작은 것에 감사하자. 그리하여, 우리의 하루가, 우리의 삶이 더 나은 방향으로 나아갈 수 있도록 하자. 작은 것에 대한 사랑과 존중이, 우리의 삶을 진정으로 빛나게 만들 것이다.

우리의 인생도 마찬가지다. 작은 노력이 쌓여 큰 성공을 이루고, 작은 실수가 큰 문제를 만든다. 그러므로 우리는 언제나 작은 것에 집중하고, 작은 것을 놓치지 않는 습관을 길러야 한다. 그것이 성공의 비결이자, 삶의 지혜다. 작은 것을 소중히 여기는 태도, 그것이야말로 우리 삶을 풍요롭게 하고, 성공을 이끄는 열쇠가 될 것이다.

이순신 장군에게 전투실험의 길을 묻다

이순신 장군은 임진왜란이 발생하기 전 신무기 체계, 즉 거북선을 획득하기 위해 다양한 전투실험을 했다. 이순신 장군은 당시 육상전 위주의 일반화된 전투개념에서 탈피해서 새로운 무기체계로 해전을 하겠다는 혁신적인 개념과 발상으로 바다에서 적과 맞서 싸우기 위해 여러 방법을 모색했다.

그러던 중 선박 건조 기술자인 군관 나대용이 지붕을 얹고, 송곳을 꽂아 왜군들이 올라타는 것을 방지하자는 새로운 비전과 개념을 제시했다. 또 판옥선의 단점을 극복하고 전투 효율성을 높이기 위해 포수와 격군을 분리 운용해야 함을 강조하고, 돌격선으로 돌격과 동시에 적진을 교란하기 위해 뱃머리 부분에 포를 장착한다는 아이디어를 내놓았다.

이런 비전과 개념 아래 거북선은 1952년 5월 29일 사천해전에 최초로 투입되기 전 수차에 걸친 축소 모형 제작과 이를 이용한 전투실험을 통해 기동성과 좌우 회전력, 철갑 하중에 대한 지탱력, 파도에 견딜 수 있는 복원력 등 실전에 배치하기 위한 작전요구성능을 시험했고, 울돌목에서 조류 현상을 최대한 이용한 사전훈련을 수없이 실시했다. 이런 검증 과정을 통해 시행착오와 경제적 손실을 최소화해 거북선을 건조할 수 있었다.

왜군을 무찔러 나라를 지키겠다는 원대한 비전에서 싹튼 새로운 전투개념, 즉 싸우는 방법을 실제 전장에서 입증한 그 과정에는 철저한 실험정신이 자리 잡고 있었다. 이 같은 전투실험정신은 역사적으로 당대 최고의 전투함이자 돌격함을 탄생시켰다.

우리는 현재 인류 역사상 가장 빨리 변하고 가장 파괴적이며 가장 혼란스러운 시기에 살고 있다. 우리 군의 상황도 마찬가지다. 하루가 다르게 새로운 무기와 장비가 등장하고 있으며, 기존의 재래식전이 아닌 네트워크 중심전, 정보전, 사이버전 등 미래 전장의 양상도 다양해지고 있다. 결론적으로 과거 전쟁의 모습과 정답으로 생각됐던 것들이 바뀌고 있다.

과거 옳았고 타당했던 교리, 조직, 교육훈련, 물자, 리더십, 인력, 시설 등이 지금은 부분적으로 또는 완전히 쓸모가 없어진 것이다. 이와 같은 시대적 변화의 요구에 맞추어 우리 군 역시

획기적인 변화를 준비하고 대비해야 한다. 그럼 '우리 군은 이러한 변화를 어떻게 준비하고 대비할 것인가?'

우리 군은 미래의 전쟁 양상과 전투형 강군 육성이라는 시대적 변화의 요구에 맞추어 전투발전 소요, 즉 교리, 조직, 교육훈련, 물자, 리더십, 인력, 시설 등에서 획기적인 변화를 준비하고 있다. 그중 전투실험은 이를 구현하기 위한 다양한 방법의 하나로 육군의 전투실험체계는 지난 1999년 2월 처음 도입돼 현재까지 약 25년간 미래에 요구되는 작전 능력을 검증했으며, 전투발전 분야별 소요와 전투수행 방법에 따른 문제해결 방안을 도출하기 위한 전투실험을 수행하면서 인력, 실험 도구 및 시설, 예산 측면의 여러 제한된 여건하에서도 성공적으로 과업을 수행해 왔다.

이처럼 전투실험은 과거 거북선 건조에 큰 역할을 했고 오늘날에는 국방개혁의 중추적인 역할을 수행하고 있다.

430여 년이 지난 지금 과거 이순신 장군이 그러했던 것처럼 미래 전장 환경을 직시한 창조적 전력을 창출해 지상전에서 승리를 보장한다는 자부심과 역사에 길이 남을 중요한 과업을 수행한다는 사명감과 책임 의식을 가지고 전투실험에 임하길 바란다.

육군 교육사령부 전투실험처 앞에서

"내일의 정답은
오늘의 정답과 다르다는 생각으로
하루가 다르게 변하는 미래의 전장과
현재 경험해 보지 못한 불확실성에
대비해야 한다."

이 시대의 운주당에서 배움과 성장의 시간

군인의 길은 끊임없는 배움과 성장을 요구한다. 이는 단순한 육체적 훈련을 넘어, 정신적, 지적 성장까지 포함된다. 나의 군 생활 중에서 가장 기억에 남는 시간 중 하나는 합동군사대학교에서 배움과 성장의 시간이었다. 합동군사대학은 단순한 교육 기관이 아니라, 군인으로서의 소양과 지혜를 쌓아가는 이 시대의 운주당(運籌堂)이었다.

이순신 장군은 거북선을 창제하고, 연전연승을 통해 조선을 국난에서 구한 영웅으로 기억되고 있다. 이순신 장군이 대승을 하고 우리에게 영웅으로 기억될 수 있었던 비결은 바로 토의와 토론이라 생각한다. 그 증거가 바로 이순신 장군의 서재라고 할 수 있는 한산도 운주당이다.

조선 시대 선비들은 대부분 자신의 서재를 갖고 있었다. 그곳은 단순히 책만 읽는 공간이 아니었다. 자신을 성찰하고, 세상에서 묻힌 먼지를 닦아내는 씻김의 공간이었다. 또한 제자를 기르고, 벗과 어울리며 지혜를 나누고 겨루는 토의와 토론의 장이었다. 그래서 서재의 이름은 서재 주인이 추구하는 삶을 단적으로 보여준다.

난중일기에서는 이순신 장군 서재인 운주당의 모습을 "모든 일을 같이 의논하고 계획을 세웠다.", "온갖 방책을 의논했다.", "밤낮을 의논하고 약속했다"와 같이 표현하고 있다. 운주당을 표현한 이 구절들은 이순신 장군의 23전 23승의 비밀을 밝혀주는 키워드인 셈이다. 실제로 이순신 장군의 운주당은 어떤 신분의 인물이라도 쉽게 드나들 수 있었고, 밤새도록 불이 꺼지지 않았다고 한다.

이러한 운주당의 모습이 현재 합동군사대학교의 모습과 오버랩되는 것은 나만의 생각일까? 나는 이순신 장군의 진정한 힘은 토의와 토론을 통해 지혜를 나누고 전략을 세운 데 있었다고 생각한다. 합동군사대학은 내가 이순신 장군처럼 지혜와 전략을 배울 수 있는 곳이었다.

합동군사대학의 문을 처음 들어섰을 때, 나는 긴장과 설렘으로 가득 차 있었다. 이곳에서 나는 단순히 책을 읽고 시험을 치르는 것을 넘어, 지혜를 나누고 세상을 읽는 눈을 키울 수 있음을 느꼈다. 합동군사대학의 교육은 단순한 전달식 교육을 넘어서, 합리적이고 논리적으로 사고하는 능력을 키워주는 데 중점을 두었다.

합동군사대학에서는 매일 토의와 토론이 이어졌다. 우리는 다양한 주제를 가지고 서로의 의견을 나누고, 논리적으로 사고하며 문제를 해결해 나갔다. 이 과정에서 나는 많은 것을 배웠고, 내 사고의 폭을 넓힐 수 있었다. 특히, 동료들과의 토론을 통해 새로운 시각을 배우고, 내 생각을 더욱 깊이 있게 발전시킬 수 있었다.

강의 시간 질문은 항상 중요했다. 단순히 지식을 전달받는 것이 아니라, 그 지식을 바탕으로 새로운 질문을 던지고, 그에 대한 답을 찾아가는 과정이었다. 이 과정에서 나는 비판적 사고의 중요성을 깨달았고, 항상 새로운 시각으로 문제를 바라볼 수 있게 되었다. 또한 배움은 단순히 승리를 위한 것이 아니었다. 그것은 나 자신을 성장시키고, 더 나은 군인으로 발전하기 위한 과정이었다.

합동군사대학에서의 하루는 매우 바빴다. 아침 일찍부터 시작되는 수업과 토론, 그리고 밤늦게까지 이어지는 자율 학습, 나는 항상 바쁘게 지냈지만, 그 속에서 많은 것을 배울 수 있었다. 특히, 동료들과 함께 문제를 해결하고, 새로운 아이디어를 나누는 과정은 나에게 큰 배움과 영감을 주었다.

교육은 단순히 이론을 배우는 것에 그치지 않았다. 우리는 항상 실습과 현장 학습을 통해 배운 이론을 실제로 적용해 보는 기회를 가졌다. 이는 나에게 큰 도움이 되었고, 내가 배운 것을 실제로 어떻게 적용할 수 있는지를 깨닫게 해주었다. 특히, 전쟁 실습은 매우 현실적이었고, 나의 전술 능력을 크게 향상해 주었다.

그리고 이 기간 가장 큰 자산 중 하나는 동료들이었다. 우리는 경쟁상대이면서 함께 군인의 길을 걸어가는 동료였다. 우리는 항상 서로를 믿고 의지하며 함께 성장해 나갔다. 그들은 나에게 큰 힘이 되었고, 나는 그들과 함께 많은 것을 배울 수 있었다. 특히, 서로의 경험을 나누고, 그 속에서 새로운 교훈을 얻는 과정은 매우 소중했다.

합동군사대학을 수료하던 날, 나는 많은 생각에 잠겼다. 이곳에서 배운 것들이 나의 군 생활에 큰 도움이 될 것임을 확신했다. 나는 이곳에서 많은 것을 배웠고, 그것을 바탕으로 더 나은 군인이 될 준비가 되었다. 이 시대의 운주당, 합동군사대학교에서의 시간은 나에게 큰 자산이 되었다. 합동군사대학은 단순한 교육 기관이 아니다. 이곳은 나에게 군인으로서 배움과 성장의 기회를 제공하였고, 더 큰 도전에 맞설 힘을 주었다.

셰익스피어는 “위대한 논쟁 없이 감동도 없다”고 했다. 지금,

이 순간에도 합동군사대학교에서는 수많은 학생장교와 교관이 함께 전장을 논하며, 평시 억제는 어떻게 하고 유사시 어떻게 전승을 이룰 것인지 밤낮을 가리지 않고 열과 성을 다해 적극적으로 토의하고 토론하며 하루하루를 보내고 있다. '지략과 승리는 경청하고 소통하는 이에게 주어진 선물'이라고 한다. 오늘날 합동군사대학의 학생장교와 교관들의 이 같은 노력은 평시 전쟁을 억제하고 유사시 발생할지 모르는 전쟁에서 우리에게 승리를 가져다줄 바탕이 될 것이라 확신한다.

"항상 질문하고, 논쟁하며,
새로운 시각을 배울 수 있도록 노력해라.
논쟁과 토론을 두려워하지 말고,
그 속에서 성장할 기회를 찾아라."

희망찬 동해의 여명을 기대하며

동이 트는 동해안의 아침은 언제나 특별하다. 찬란한 태양이 바다 위로 떠오를 때, 그 순간의 아름다움은 마치 세상의 모든 어둠을 몰아내는 듯한 기운을 품고 있다. 나의 하루는 바로 이 순간부터 시작된다.

합동군사대학을 수료하고 나는 53사단의 해안대대 작전과장으로 보직되었다. 해안 경계의 일상은 늘 긴장의 연속이었다. 동해안의 파도 소리와 바람 소리 속에서도 우리는 언제나 경계를 늦추지 않았다. 우리의 임무는 단순히 바다를 지키는 것뿐만 아니라, 그 바다 너머의 모든 것을 지키는 것이었다. 그곳에는 우리 가족, 친구들, 그리고 우리가 사랑하는 모든 것이 있었다.

해안선을 따라 펼쳐진 우리의 책임지역은 전략적으로 매우 중요한 지역이었다. 우리는 이곳에서 육상과 해상을 모두 감시하며, 어떠한 위협에도 신속하게 대응할 수 있도록 준비하고 있었다.

우리의 생활은 철저히 규칙적이었다. 정해진 시간에 일어나고, 정해진 시간에 식사하고, 정해진 시간에 근무를 섰다. 그러나 그 규칙 속에서도 우리는 각자의 역할을 다하며, 서로를 지지하고 격려했다. 동해안의 바람은 차갑지만, 우리의 마음은 언제나 따뜻했다.

바다는 늘 변했다. 잔잔한 날도 있지만, 때로는 거센 파도가 밀려오기도 했다. 우리는 그 변화를 감지하고 대응하는 훈련을 반복하며, 어떤 상황에서도 준비되어 있었다. 해안 경계의 일상은 마치 바다와 끝없는 대화와도 같았다. 우리는 바다의 목소리를 듣고, 그에 맞춰 우리의 역할을 다했다.

나는 가끔 대대에서 나와 해안 책임지역의 순찰을 돌며 동해안의 풍경을 바라봤다. 그 넓고 푸른 바다는 우리의 책임과 헌신을 상징하는 듯했다. 우리의 임무는 그저 바다를 지키는 것이 아니라, 그 너머의 모든 것을 지키는 것이었다. 바다는 우리의 삶이자, 우리의 존재 이유였다.

저녁이 되면, 바다는 또 다른 얼굴을 보여줬다. 해가 지고 어둠이 내려앉을 때, 우리는 더욱 경계심을 높였다. 어둠 속에서 우리는 서로의 존재를 확인하며, 함께 한다는 의미를 되새겼다. 동해안의 밤은 차갑지만, 우리의 결의는 그 무엇보다도 뜨거웠다.

나는 지금 순간에도 동해안을 지키는 동료들에게 깊은 감사를 느낀다. 그들은 언제나 변함없이 그 자리를 지키고 있다. 우리의 생활은 그렇게 이어져간다. 각각의 순간들이 모여 우리의 하루가 되고, 우리의 하루들이 모여 우리의 삶이 된다.

희망찬 동해안의 여명을 기대하며, 우리는 오늘도 우리의 자리에서 최선을 다한다. 우리의 일상은 단순한 반복이 아니다. 그것은 우리의 책임과 헌신을 다짐하며, 우리의 미래를 지켜나가는 과정이다. 바다는 늘 우리와 함께하고, 우리는 그 바다를 지키며 살아간다.

동해안의 아침은 언제나 새로운 희망을 안겨준다. 그 희망 속에서 우리는 다시 한번 우리의 임무를 다짐한다. 바다는 늘 변하지만, 우리의 결의는 변하지 않는다. 우리는 오늘도, 내일도, 그 어떤 날에도 우리의 자리를 지키며, 희망찬 여명을 맞이할 것이다.

로완 중위와 같은 마음으로

어느 날, 나는 깊은 생각에 잠겼다. 갈림길에 서 있는 내 모습이 눈앞에 떠올랐다. 무엇이 나를 더 나은 사람으로 만들 것인가? 어떤 선택이 내 삶을 의미 있게 할 것인가? 나는 군인으로서 어떠한 삶을 살아야 할 것인가?

그 순간, 나는 '가르시아 장군에게 보내는 편지'를 펼쳤다. 책의 무게감이 손에 느껴졌다. 이 책은 단순한 군사 서적이 아니었다. 그것은 나에게 영감과 지침을 주는 소중한 보물이었다. 충성심, 헌신, 그리고 희생의 가치가 담겨 있었다.

몇 해 전 '가르시아 장군에게 보내는 편지'라는 책을 선물 받은 이후 새로운 보직을 부여받고, 새로운 환경에서 새로운 임무를 수행할 때면 항상 이 책을 다시 한번 읽어보며, 임무 수행에 앞서 새롭게 마음을 다지고 있다.

책의 내용을 요약하면, 스페인의 손아귀에 들어간 쿠바를 독립시키기 위해 1898년 미국과 스페인이 전쟁을 벌이고 있을 때, 매킨리 대통령은 쿠바의 밀림 깊은 곳 어딘가에 있는 반(反) 스페인 지도자 가르시아 장군에게 대통령의 밀서를 전달할 일이 생겼다. 하지만 쿠바 어느 산속에서 전투 중인 것으로만 알려진 가르시아 장군의 정확한 위치는 물론 생사도 알 수 없었다. 대통령이 고민에 빠졌을 때, 많은 사람이 로완 중위를 적임자로 추천했다. 그리고 그 임무를 받은 로완 중위는 각고의 노력 끝에 밀서 전달에 성공한다. 우리는 로완 중위가 밀서 전달에 성공했다는 사실보다 왜 그가 적임자로 추천되었는지에 더 관심을 가질 필요가 있다.

로완 중위는 자신에게 임무가 부여되었을 때 가르시아 장군이 어디에 있는지, 어떻게 찾아가야 하는지, 왜 자기가 가야 하는지 아무것도 묻지 않았다. 아마 평소 임무에 임하는 로완 중위의 이와 같은 자세를 잘 알고 있는 많은 사람이 그를 적임자로 추천했을 것이다. 개인적으로 일을 잘 처리하는 유능함도 중요하나 임무에 대한 충성심이 훨씬 더 가치 있다고 생각한다.

나는 매일 "로완 중위처럼 지금 당장 명을 받아 임무를 수행할 때 임무에 임하는 자세, 즉 충성심과 이를 완수할 수 있는 능력과 충분한 준비가 되어 있는가?"라고 자문한다.

로완 중위의 충성심과 헌신은 오늘날 우리에게도 큰 교훈을 준다. 그가 보여준 정신은 우리가 직면한 도전과 위기 속에서 더욱 중요하다. 우리 군인들이 로완 중위와 같은 마음으로 임무에 임할 때, 우리는 어떤 어려움도 극복할 수 있다. 이것이 바로 우리가 이 이야기를 기억해야 하는 이유이다.

로완 중위의 이야기를 접한 후, 나는 내 임무 수행 방식을 다시 한번 돌아보게 되었다. 그의 충성심과 헌신은 나에게 큰 모범이 되었다. 나 역시 로완 중위처럼 내 앞에 놓인 모든 도전과 어려움을 극복하고자 하는 마음가짐을 가지게 되었다. 그의 이야기는 내게 큰 힘이 되어, 어떤 어려움에도 굴하지 않고 임무를 완수할 수 있도록 도와준다.

그렇다면, 우리는 어떻게 로완 중위와 같은 마음으로 임무에 임할 수 있을까?

먼저, 우리는 언제나 최선을 다해야 한다. 로완 중위는 어떠한 어려움에도 굴하지 않고 최선을 다해 임무를 완수했다. 그는 자신이 할 수 있는 모든 것을 다해 임무를 수행했다. 우리는 그가 보여준 그런 자세를 본받아야 한다. 자신이 맡은 일에 최선을 다하고, 그 일을 완수하기 위해 모든 노력을 기울여야 한다.

그리고 우리는 항상 희망을 품어야 한다. 로완 중위는 어떠한 상황에서도 희망을 잃지 않았다. 그는 임무를 완수할 수 있다는 믿음을 가지고 있었다. 우리는 그의 이야기를 통해 희망의 중요성을 배울 수 있다. 어떠한 어려움이 닥쳐와도, 우리는 희망을 잃지 않고 최선을 다해야 한다.

우리는 그와 같은 마음으로 임무를 완수해야 한다. 이 이야기를 통해 영감을 받고, 자기 삶에서 로완 중위와 같은 마음으로 임무에 임할 수 있기를 바란다.

우리는 각자의 길을 걷는다. 때로는 혼자이고, 때로는 함께한다. 그러나 중요한 것은 우리의 마음가짐이다. 로완 중위는 자신의 길을 걸으며, 마음속 깊은 곳에서부터 우러나오는 헌신과 충성심을 보여주었다. 그는 자신이 선택한 길을 끝까지 걸어갔고, 그 과정에서 많은 어려움을 마주했지만, 절대 포기하지 않았다.

우리도 마찬가지이다. 삶에서 많은 도전을 마주하게 된다. 때로는 그 도전이 너무 커서 주저앉고 싶을 때도 있다. 그러나 로완 중위의 이야기를 기억하자. 그의 굳은 결의와 헌신은 우리에게 큰 교훈을 준다. 그는 단순히 명령을 따르는 군인이 아니었다. 그는 자신의 임무를 자기 삶의 목적이자 소명으로 여겼다.

우리는 로완 중위처럼 우리의 임무에 진정으로 헌신해야 한다. 자신이 맡은 일을 사명으로 여기고, 그 일의 중요성을 깊이 인식하며, 최선을 다해야 한다. 그리고 어떠한 어려움이 닥쳐와도 희망을 잃지 말고 끝까지 나아가야 한다.

우리의 여정은 쉽지 않을 것이다. 많은 장애물이 우리 앞을 가로막을 것이다. 그러나 우리는 로완 중위처럼 강한 의지와 결단력으로 그 모든 장애물을 극복할 수 있다.

마지막으로, 여러분에게 당부하고 싶다. 로완 중위의 이야기를 마음속 깊이 새기고, 그의 헌신과 충성심을 본받아, 여러분의 삶에서 맡은 임무에 최선을 다해 수행하길 바란다. 그것이 우리가 군인 정신을 이어가는 길이며, 이 세상을 조금 더 나은 곳으로 만드는 길이다. 여러분의 성공을 믿으며, 여러분이 로완 중위와 같은 마음으로 임무에 임할 수 있기를 기원한다.

오늘도 여러분의 길 위에 로완 중위의 정신이 함께하기를, 그리고 그 길이 여러분을 더 나은 사람으로, 더 나은 군인으로, 더 나은 지도자로 이끌어 주기를 바란다. 끝까지 포기하지 않고, 최선을 다하며, 희망을 잃지 않는 여러분이 되기를 기원한다.

코로나 시대의 군인들 이야기

세상은 예측할 수 없는 일들로 가득하다. 우리의 삶을 송두리째 뒤흔들어 놓는 사건들이 예고도 없이 찾아온다. 2020년, 전 세계를 강타한 코로나19 팬데믹은 그중에서도 가장 충격적인 사건 중 하나였다. 그 시기에 나는 군의 일원으로서, 우리 군이 어떻게 이 위기를 극복해 나갔는지를 직접 경험했다.

코로나19는 단순한 질병의 확산을 넘어, 우리의 일상과 사회를 송두리째 바꾸어 놓았다. 그 시기, 군의 대응은 단순한 방역을 넘어 전투와 다름없는 긴장감을 동반했다. 부대 내 확산을 막기 위해 우리는 평소와 다른 생활 방식을 채택해야 했다.

처음 코로나19가 시작되었을 때, 우리 부대 역시 큰 혼란에 빠졌다. 방역 지침이 시시각각 변해갔고, 우리는 그에 맞춰 빠르게 대응해야 했다. 첫 번째 대응은 부대 내 이동을 최소화하고, 각자의 위치에서 임무를 수행하도록 하는 것이었다. 부대 내 모든 훈련과 모임은 중단되었고, 우리는 각자 맡은 바 임무를 분산하여 수행해야 했다.

우리 부대의 중요한 임무 중 하나는 외부로부터의 바이러스 유입을 막는 것이었다. 이를 위해 우리는 철저한 검역과 소독을 실시했다. 부대에 들어오는 모든 인원과 물자를 철저한 검사를 거쳐야 했고, 각 건물과 시설은 정기적으로 소독되었다. 이러한 조치들은 우리 부대를 안전하게 지키는 데 큰 도움이 되었다.

어려운 점 중 하나는 부대원들 간의 거리 두기였다. 군대라는 특성상, 우리는 항상 밀접한 협력이 필요하다. 하지만 코로나19로 인해 우리는 서로의 거리를 유지해야 했다. 식사 시간, 훈련 시간, 휴식 시간 모두에서 우리는 거리 두기를 실천해야 했다. 이는 처음에는 매우 어려운 일이었지만, 점차 익숙해졌다.

코로나19 중 가장 큰 도전은 부대원들의 정신적, 정서적 건강을 유지하는 것이었다. 많은 부대원이 가족과 떨어져 지내며, 불안과 스트레스를 겪었다. 우리는 이를 해결하기 위해 다양한 프로그램을 도입했다. 온라인 상담, 정신 건강 교육, 스트레스 해소 프로그램 등이 그 예였다. 이러한 노력은 부대원들이 이 어려운 시기를 견뎌내는 데 큰 도움이 되었다.

기억에 남는 것 중 코로나19 초기, 가족이 바이러스에 감염되며 큰 충격을 받았던 부대원의 이야기가 있다. 그는 걱정과 불안 속에서 지내야 했고, 우리는 그를 지원하기 위해 큰 노력을 기울였다. 상담을 통해 그의 이야기를 듣고, 필요한 지원을 제공하며 그는 점차 회복해 나갔다. 그가 다시 건강한 모습으로 임무를 수행하는 모습을 보며, 나는 큰 보람을 느꼈다. 당시 우리는 부대원 한 명, 한 명에게 관심을 가지며 이를 극복하기 위해 노력했다.

코로나19 대응 과정에서 우리는 새로운 방식을 도입하기도 했다. 비대면 회의 시스템을 도입하여, 부대원들 간의 소통을 유지했다. 이를 통해 우리는 물리적 거리를 유지하면서도, 효율적인 업무 수행이 가능했다. 또한, 드론과 같은 첨단 기술을 활용하여, 정찰 감시 임무를 수행했다. 이러한 기술들은 코로나19 상황에서 우리의 임무수행에 큰 도움이 되었다.

코로나19 동안 군의 역할은 단지 부대 내 방역에만 국한되지 않았다. 우리는 지역사회의 안전을 지키기 위해 다양한 지원 활동에 참여했다. 지역 보건소와 협력하여 방역 물품을 배포하고, 지역 주민들을 대상으로 한 방역 활동을 지원했다. 특히, 지역사회와의 협력은 매우 중요한 요소였다.

우리는 정기적으로 지역 보건당국과 협의하여 방역 활동을 조율하고, 필요한 지원을 제공했다. 이러한 협력은 지역사회의 신뢰를 얻는 데 큰 도움이 되었으며, 공동의 목표를 달성하는 데 중요한 역할을 했다. 이는 국민들에게 군이 사회적 위기 상황에서도 믿고 의지할 수 있는 기관임을 보여주었다.

코로나19는 우리 모두에서 큰 도전이었지만, 이를 통해 우리는 많은 것을 배우고 성장할 수 있었다. 코로나19 동안 군은 신속하고 효율적인 대응을 통해 부대 내 감염을 최소화하고, 지역사회의 안전을 지킬 수 있었다. 우리는 위기 속에서 어떻게 대응해야 하는지를 배웠고, 그 과정에서 서로를 더욱 신뢰하고 협력하는 법을 익혔다. 이 경험은 나와 우리 군에 큰 자산이 되었다.

특히, 군인으로서의 책임감과 헌신, 그리고 지역사회와의 협력의 중요성을 다시 한번 깨닫게 되었다. 앞으로도 우리 군은 이러한 경험을 바탕으로 더 많은 도전과 성취를 이루어 나갈 것이며, 항상 최선을 다해 임무를 수행할 것이다. 또한 이와 같은 노력을 통해 대군 신뢰를 더욱 증진하고, 국민들에게 더욱 신뢰받는 군으로 거듭날 것이다.

Part 3

우주로 향하는 길: 무한한 가능성 속으로

정보작전은
선택이 아닌 필수

세상은 보이지 않는 것들로 가득하다. 보이지 않는 것의 힘은 때로는 보이는 것의 힘을 압도한다. 나는 2020년 10월, 지상작전사령부 작전계획처의 전자전장교로 보직되었다. 그곳에서 나는 눈에 보이지 않는 전쟁, '정보작전(IO)'의 중요성을 절감했다.

손자병법은 오랜 세월 동안 전쟁의 지혜를 전해왔다. 그중에서도 "백 번 싸워 백 번 이기는 것보다 싸우지 않고 이기는 것이 최상이다."라는 말은 오늘날의 전장에서도 여전히 빛을 발한다. 싸우지 않고 이기는 것, 그것이 정보작전의 진정한 목적이다.

정보작전은 단순히 작전의 일부가 아니다. 그것은 전쟁의 판도를 바꾸는 결정적인 수단이다. 적의 전투력을 파괴하는 것이 아니라, 적의 의사결정자와 그 과정을 직간접적으로 타격해 전투 의지를 꺾는 것. 이것이 싸우지 않고 이기는 손자의 지혜를 현대적으로 재해석한 것이다.

정보작전의 또 다른 중요한 요소는 비전투원과 민간인의 생명을 보호하는 것이다. 이는 전쟁의 윤리를 넘어서, 대내외 여론 형성과도 밀접하게 연결된다. 베트남전에서 미국이 전투에서 승리했으나 전쟁에서 패한 이유 중 하나가 바로 이 정보작전과 관련된 요소 때문이다.

베트남전의 교훈을 바탕으로 미국은 걸프전과 이라크전에서 더욱 활발한 정보작전을 수행했다. 정보통신과 컴퓨터 기술의 발전은 새로운 전장을 만들었고, 최소한의 희생으로 최대의 성과를 달성하기 위한 정밀유도무기나 사이버 및 전자전 등의 비물리적 수단을 활용한 작전이 늘어났다.

이러한 흐름은 우리 주변국 국가들도 예외가 아니다. 전자전 장비를 강화하고, 군사 조직을 보강하며, 정보작전 관련 전략과 전술을 연구하는 노력이 이루어지고 있다.

정보작전의 성공은 군사적인 승리를 넘어서 정치적, 경제적, 사회적 안정까지도 영향을 미친다. 전쟁 중 민간인의 생명을 보호하고, 적의 선전 활동을 무력화하여 국제 여론을 아군에게 유리하게 만드는 것도 정보작전의 중요한 역할 중 하나다. 이는 전쟁의 승패를 가르는 중요한 요소로 작용할 수 있다.

정보작전은 사이버전자기 영역에서도 중요한 역할을 한다. 사이버 전쟁, 전자전을 통해 적의 통신망 교란 등 현대전에서 매우 중요한 요소로 자리 잡았다. 이러한 비전통적 전장에서는 전통적인 무기보다 정보의 통제와 활용이 더욱 중요하다.

정보작전은 단순한 군사적 활동이 아니다. 이는 우리의 안전과 생명을 지키는 중요한 수단이다. 우리는 정보작전을 통해 적의 전략을 무력화하고, 우리의 전략을 성공적으로 수행할 수 있다.

정보작전은 현대전에서 선택이 아닌 필수 요소다. 앞서 언급한 바와 같이 정보작전은 적의 의사결정을 방해하거나 혼란 시키고, 아군의 의사결정을 보호하는 역할을 통해 전투에서 승리할 수 있는 기반을 마련한다. 정보작전의 성공은 전투의 승리를 넘어 전쟁의 전략적 목표를 달성하는 데 중요한 열쇠가 된다.

아직 우리 군의 정보작전은 갈 길이 멀다. 정보작전의 중요성을 인식하고, 이를 실천할 수 있는 능력을 갖춰야 한다.

정보작전의 효과를 극대화하기 위해서는 지속적인 연구와 훈련이 필요하다. 나는 정보작전 임무를 수행했던 군인으로서 전우들과 함께 정보작전 분야의 발전을 위해 최선을 다했고, 지금도 노력하고 있다.

정보작전은 우리의 전투력을 극대화하고, 적의 전투력을 무력화하는 데 중요한 역할을 한다. 이를 통해 우리는 적과의 싸움에서 우위를 점할 수 있다. 향후 우리 군의 모든 인원이 정보작전이 현대 및 미래전에 없어서는 안 될 필수 불가결한 요소임을 공감하길 바란다. 그리고 철저한 준비와 훈련을 통해 유사시 피한 방울 흘리지 않고 싸워 이길 수 있는 태세를 갖출 수 있기를 기대한다.

주한미군 정보작전 실무자들과

전자전의 세계,
전장의 새로운 영역

전자전장교로 보직. 그 순간, 내 군 생활은 새로운 국면으로 접어들었다. 전자전(EW)은 단순한 기술적 진보가 아닌, 전쟁의 패러다임을 바꾸는 혁신이었다. 전자기 스펙트럼을 이용한 통신 교란, 신호정보 수집, 적의 레이더 시스템 마비 등은 이제 현대 전장에서 필수적인 요소가 되었다.

전자전의 세계는 한낱 신호들이 오가는 공간이 아니라, 적의 움직임을 파악하고 우리의 전략을 숨기는 치열한 전투의 장이었다. 나는 처음 전자전 업무를 시작할 때, 그 개념이 막연하게 느껴졌으나 곧 그 중요성을 깨달았다. 전자전은 적의 신호를 방해하고 아군의 신호를 보호하는 역할을 했다. 이는 전장에서 승패를 좌우할 수 있는 결정적 요소였다.

역사적으로 볼 때 전자전의 시초는 1904년 러일전쟁에서 러시아 해군에 의해 최초로 실시된 통신 전파방해였고, 이후 1차 세계대전을 통해 더욱 활성화되었다. 2차 세계대전에서는 레이더와 항공기가 본격적으로 사용되기 시작되면서 폭격을 위한 항법에 무선항법체계가 등장하였고, 이를 교란하기 위한 전파교란기가 사용되기도 했다. 미군의 경우 베트남전 이후부터 전자전의 중요성을 인식하고 군에 전자전 수행 능력을 도입해 왔다. 미국은 이라크와 걸프전에서 그 덕을 톡톡히 보았다. 걸프전에서는 이라크군의 방공망 레이더와 미사일 제어용 레이더를 교란했고, 그 결과, 미 전폭기들은 이라크군의 방공 미사일 공격을 회피할 수 있었다. 이제 현대전에서 전자전은 없어서는 안 될 필수 요소가 된 것이다.

내가 처음으로 전자전의 복잡성과 정교함을 직접 체험한 것은 2021년 전반기 연합연습 간이었다. 적의 신호를 찾아내고 이를 분석하며 교란하는 과정은 무수히 많은 주파수가 혼재하는 전자기 스펙트럼에서 필요한 정보를 찾아내는 것과 같았다. 이는 바늘구멍에서 실을 찾는 것만큼 어려운 작업이었다.

전자전의 핵심은 적의 통신과 레이더 시스템을 무력화시키는 것이었다. 이를 위해 우리는 주파수 혼란, 전파 방해, 신호 교란 등 다양한 기술을 활용했다. 그러나 이러한 기술적 수단들은 단순한 기계적 작업이 아니었다. 이는 적의 의도를 파악하고 우리의 전략을 보호하기 위한 치밀한 심리전이었다.

나는 전자전장교로 2021년 전반기 연습을 시작으로 여러 차례 연합연습에 참여했다. 처음에는 낯설고 어려웠던 것들이 점차 익숙해지면서, 이 새로운 전장에서의 도전에 흥미를 느끼기 시작했다. 특히 미군 측 전자전협조팀과 함께 일하는 경험은 나에게 큰 자산이 되었다.

나는 육군에서 유일하게 전자공격을 담당하는 전자전장교로서, 지상군의 전자전 공격 계획을 수립, 시행, 평가하며 연합연습 간 전자전을 다양한 전시 국면에서 적용해야 했다. 이를 통해 나는 새로운 도전과 기회를 마주하게 되었다. 전자전의 세계는 마치 끝이 없는 미로와 같았다.

전자전의 기술은 날로 발전하고, 적의 전략도 더욱 교묘해지고 있다. 우리는 이에 맞서 끊임없이 배우고, 발전해야 한다. 전자전은 단순히 기술적인 문제가 아닌, 우리의 의지와 전력이 결합한 결과물이다. 나는 이 새로운 전장에서의 도전을 통해 많은 것을 배웠다. 전자전은 단순히 신호를 보내고 받는 것을 넘어, 우리의 전략과 의도를 숨기고, 적의 움직임을 파악하는 중요한 수단이었다.

전자전의 세계는 아직도 많은 가능성과 도전을 내포하고 있다. 나는 이 새로운 전장에서의 경험을 통해 더욱 넓은 시야와 깊은 통찰력을 가지게 되었다. 그리고 이 모든 경험들은 차후 우주작전장교로 임무수행 시 많은 도움이 되었다. 나는 이를 통해 우리의 군사작전에 더욱 기여하고자 한다.

이상, 전자전의 세계를 통해 나는 새로운 전장의 가능성을 경험했고, 그 속에서 나의 역할과 임무를 찾아갔다. 우리 군은 전자전 분야를 계속해서 보완, 발전시켜 나가고 있다. 하지만 미국이나 주변국에 비해 많이 부족한 것이 사실이다. 이 글을 통해 전자전이 현대 및 미래전을 이끄는 핵심 요소로 인식되고, 많은 인원이 전자전의 중요성과 필요성에 대해 공감함으로써 더 나은 모습으로 발전되길 기대한다. 이는 단순히 개인적인 바람이 아니라 국가와 국민을 위한 중요한 요소라 생각한다. 나는 전자전의 발전을 통해 우리 군이 더욱 강해지길 희망한다.

연합연습 후 지상군구성군사령관 격려

별을 향한 도전, 육군 우주작전의 시작

지상작전의 승패를 좌우할 우주력의 중요성과 필요성. 이 무거운 단어들이 내 삶을 파고든 것은 2020년 10월 어느 날이었다. 지상작전사령부의 전자전장교로 보직된 나는 사령관님의 지시를 받았다. "우주작전을 준비해라." 한 마디로 운명이 뒤바뀌는 순간이었다. 각종 전투참모단 훈련과 연합연습을 통해 다양한 우주력을 지상작전에 적용하고자 했다. 위성통신, GPS 운용의 안정화, 모든 것이 새롭고 도전적인 과제였다. 그 모든 노력은 새로운 전장을 열고 있었다.

우주의 첫 발걸음은 1957년 10월 4일, 소련이 세계 최초의 인공위성 스푸트니크 1호를 성공적으로 발사한 날이었다. 인류는 비로소 우주를 향해 나아갔다.

이제 인류는 다양한 분야에서 우주력을 활용하고 있다. 강대국들은 국방 우주력을 확보하기 위한 경쟁에 나서고 있다. 이는 향후 지상·공중·해상 작전에 지대한 영향을 미칠 것이다.

현대전에서 우주력을 본격적으로 활용하기 시작한 것은 1990년 걸프전이었다. 미군은 조기경보 위성으로 미사일 발사 탐지 및 추적, 정밀유도무기로 핵심표적 정밀 타격, 감시정찰 등을 통해 우주력의 효과를 확인했다. 2003년 이라크전에서는 우주력을 더욱 적극적으로 활용하여 전투력 발휘를 극대화했다.

미 육군의 걸프전·이라크전 사례에서 보듯, 우주력 운용의 최대 수혜자는 육군이다. 우주를 향한 우리의 도전은 지상에서의 승리를 보장하는 길목에 있다.

2020년 10월부터 약 5개월의 준비 끝에 2021년 전반기 연합연습 간, 나는 육군의 첫 우주작전을 수행하게 되었다. 이는 대한민국 육군이 우주를 활용한 최초의 시도였다. 당시 나는 큰 책임감과 함께 자부심을 느꼈다. 미 우주군으로부터 배운 지식과 협력을 바탕으로 우주작전의 중요성을 강조하고 작전계획을 세밀하게 조정했다. 우주력의 활용이 지상작전의 성공을 보장하는 데 얼마나 중요한지 실감하게 되었다. 이 경험은 나에게 깊은 인상을 남겼고, 우주작전의 가능성을 확신하게 했다.

현시점에서 우리 육군은 미 육군이 오랜 기간 우주력을 활용해 지상작전 수행의 이점을 극대화하고 작전개념과 교리, 조직과 능력을 발전시켜 온 사례에 주목해야 한다. 또한 전투원 개인으로부터 대규모 군사작전에 이르기까지 위성통신, GPS 운용, 정밀 표적 획득, 우군 방호 및 작전지속지원, 전장 정보 분석 등 우주력이 지상작전 수행에 어떠한 영향을 주는지 명확히 이해하고 분석해야 한다.

그리고 이를 통해 우리 육군이 우주영역에 대해 어떠한 능력과 태세를 갖춰야 할지 더 진지하게 고민해 봐야 할 때다. 우주영역에서의 군사적 우위를 확보하는 것은 단지 기술적인 문제가 아니다. 그것은 우리의 전략적 안보와 직결된 문제이다.

인류 최초로 달에 착륙한 닐 암스트롱은 달 표면에 첫발을 내디디며 "이것은 한 인간이 내딛는 작은 발걸음이지만, 인류 전체에는 하나의 큰 도약"이라고 했다. 우리의 우주력 구축을 위한 첫걸음들도 아직은 작은 발걸음에 불과하다. 그러나 그 작은 발걸음이 쌓여 큰 도약을 이룰 수 있다.

우리 육군은 2021년 '페가수스 프로젝트'를 시작으로 육군의 우주력을 구축하기 위해 첫걸음을 내디뎠다.

2021년 12월 1일부로 나는 육군의 첫 우주작전장교로 보직되었다. 이는 나의 군 경력에서 중요한 이정표였다. 우주를 향한 도전은 이제 시작이다. 우리의 작은 발걸음이 모여 큰 도약을 이룰 수 있음을 확신하며, 나는 앞으로의 여정을 기대하고 있었다.

우리 육군의 우주력 구축을 위해 지금 내딛는 걸음들은 아직은 많은 부분에서 부족하지만, 앞으로 육군의 우주력 구축에 큰 도약이 될 것이라 확신한다. 그리하여 우주력의 필요성에 대한 확고한 공감대를 형성하고, 향후 지상작전의 전승 보장을 위해 더 나은 방향으로 발전되길 기대한다.

우리의 여정은 끝이 없다. 우리는 계속해서 도전하고, 나아가야 한다. 별을 향한 우리의 여정은 이제 시작일 뿐이다. 우리는 더 높이, 더 멀리, 더 깊이 우주를 향해 나아갈 것이다. 이 여정에서 우리는 새로운 길을 열고, 새로운 역사를 써 나갈 것이다.

우리의 도전은 단지 기술적 성취를 위한 것이 아니다. 그것은 우리의 미래를 위한, 우리의 안보를 위한, 우리의 번영을 위한 도전이다. 우리는 이 도전을 통해 우리의 힘과 능력을 증명할 것이며, 우리의 가치를 지켜나갈 것이다.

지상에서 우주까지, 우리의 여정은 계속된다. 우리는 별을 향해, 더 큰 꿈을 향해 나아갈 것이다. 우리의 여정은 끝이 없다. 그리고 그 여정의 끝에는 우리가 꿈꾸던 새로운 세상이 기다리고 있을 것이다.

어느 날 밤, 나는 하늘을 바라보며 생각에 잠겼다. 저 끝없는 우주 속에 우리의 미래가 있다. 지상에서의 승리를 넘어서, 우주에서의 우위를 점하는 것. 그것이 우리 육군의 새로운 도전이다. 나는 이 여정의 첫걸음을 내디딘 것을 자랑스럽게 생각한다. 우리의 도전은 이제 시작일 뿐이다. 우리가 꿈꾸는 그날까지, 우리의 발걸음은 멈추지 않을 것이다.

서울 ADEX 2023, 육군 우주력 발전 홍보

우리는
한미 우주통합팀이다

우리는 한미 우주통합팀이다. 이렇게 서두를 꺼내는 순간, 내가 한미 우주통합팀으로서 겪었던 수많은 일들이 주마등처럼 스쳐 간다.

지난 2022년 12월, 한미 동맹의 새로운 장을 여는 중대한 일이 있었다. 주한 미 우주군이 창설된 것이다. 이는 북한의 핵·미사일 위협에 대응하기 위한 전략적 조치로서, 미국 본토 외 해외 주둔지에서 세 번째로 창설된 우주군 부대이다. 이로써 한미 동맹은 새로운 차원으로 도약하게 되었다.

경기도 오산 미 공군기지에서 주한 미 우주군 창설식을 처음 목격했을 때의 벅찬 감정이 아직도 생생하다. 그날은 한미 동맹의 새로운 시대가 열리는 순간이었다. 우리가 모두 한 마음으로, 한미 동맹을 지키기 위한 새로운 길을 열어가겠다는 굳은 결의를 다졌다.

죠슈아 맥컬리언 중령이 초대 지휘관으로 임명되었고, 그는 주한 미 우주군의 창설은 한미 동맹의 미래를 위한 중요한 이정표가 될 것이라고 말했다. 그의 연설은 우리 모두에게 큰 영감을 주었다. 주한 미 군사령관 폴 라캐머라는 우주군 창설이 한반도와 동북아시아의 평화와 안전을 보장하는 데 중요한 역할을 할 것이라고 강조했다. 그의 말처럼, 우리의 임무는 단순히 한반도에서의 작전에 그치지 않는다. 우리는 한반도를 넘어 세계의 평화와 안보를 지키기 위해 존재한다.

나는 지상작전사령부의 연합우주작전장교로 근무하며 지난 2년간 한미 우주통합팀의 구성원으로 함께했다. 우리가 수행하는 임무는 복잡하고도 중요하다. 한미 우주통합팀은 주한 미 우주군 창설 이전에는 한국에 파견된 미 우주군 장교를 팀장으로 운영되었으나, 주한 미 우주군이 창설된 이후에는 주한 미 우주군 사령관을 팀장으로 유사시 소집되어 우주작전을 수행한다. 평시에는 연합연습 간 소집되며 실시간 탄도미사일 발사 탐지 및 경보 작전을 수행하고, 위성통신과 GPS 임무를 관리한다.

한미 우주통합팀의 활동은 한미 동맹의 미래를 위한 중요한 기초를 마련한다. 우주영역에서 협력은 세계의 안보와도 직결된다. 이를 통해 우리는 한반도와 전 세계의 평화를 유지하는 데 기여하고 있다. 이러한 우리의 노력이 없었다면 지구상의 평화는 더 큰 위협에 직면했을 것이다.

우리의 임무는 단순히 군사적 협력에 그치지 않는다. 기술적 발전과 전략적 파트너십을 통해 더욱 강력한 동맹을 구축하는 데 기여하고 있다. 우리는 우주에서의 임무를 통해 한미 동맹의 굳건함을 증명하고, 평화와 안보를 위한 우리의 노력을 지속해 나갈 것이다.

한미 우주통합팀의 노력은 언제나 빛날 것이다. 우리의 임무와 활동이 널리 알려지기를 바란다. 우리는 한미 우주통합팀으로서, 한미 동맹의 미래를 밝히는 중요한 역할을 수행하고 있다. 우리의 노력이 많은 이들에게 전해지기를 희망한다. 우리의 여정은 계속될 것이며, 우리는 언제나 한미 동맹의 굳건한 기둥으로서 우주에서, 그리고 지상에서 우리의 임무를 다할 것이다.

새로운 우주동맹의 시작

우리는 새로운 시대를 맞이하고 있다. 그 시대는 지상의 전장에서 벗어나 무한한 가능성의 공간인 우주로 확장되고 있다. 나는 2023년 9월, 육군본부 정책실로 보직되고, 중요한 임무를 맡았다. 바로 한미 연합 우주작전 능력을 강화하기 위한 SPACE 100 국내 과정의 신설이었다.

SPACE 100 과정은 미 우주군 우주교육기관인 국가안보우주연구소(NSSI)의 지원을 받아 국내에서 처음으로 진행되는 우주기본과정이다. 이 과정의 목표는 우리의 군사적 역량을 우주로 확장하고, 우주 전문 인력을 조기에 육성하는 데 있다.

육군 주도로 평택 캠프 험프리스에서 실시된 이 과정에는 육군, 해군, 공군의 우주 직위에서 근무 중인 장교들이 참여했다. 그들의 얼굴에는 새로운 도전에 대한 기대와 약간의 불안이 교차하고 있었다. 마치 새벽의 어둠을 뚫고 첫 빛을 맞이하는 별처럼 말이다.

교육이 첫 단계는 우주작전의 기초 개념을 이해하는 것이었다. 학생장교들은 우주 공간에서의 작전 환경, 우주작전의 특수성, 그리고 그와 관련된 전략과 전술을 배웠다. 이는 마치 지구에서의 군사작전을 우주로 옮겨놓은 듯한 느낌을 주었다. 그들은 우주의 무중력 상태와 극한의 환경 속에서 어떤 도전을 마주하게 될지 상상하며, 이를 극복할 방법을 모색했다.

기초 학습이 끝난 후, 우주작전의 심화 과정을 통해 더 깊은 이해를 쌓아갔다. 특히, 미 우주군의 전문교관들이 직접 나서서 실질적인 경험과 지식을 공유했다. 그들은 우주에서의 정보 수집과 분석, 전자전, 그리고 우주 기반 시스템의 보호와 방어에 대해 배웠다. 이는 단순한 이론 교육이 아니라 실제 상황에서 적용할 수 있는 실질적인 내용들이었다.

이 과정의 큰 특징 중 하나는 바로 한미 간의 협력이다. SPACE 100 과정은 한미 간 우주 협력의 하나로 진행되었으며, 이를 통해 양국의 강점을 배우고 협력하는 방법을 익혔다. 특히, 우주작전의 경우 전 세계가 하나로 연결되어 있기 때문에,

국가 간의 협력은 필수적이다. 미 우주군의 전문교관들은 우리 학생장교들과 서로의 경험과 지식을 나누며, 미래의 전장인 우주에서 함께 싸울 준비를 갖추었다.

SPACE 100 과정을 통해 우리는 새로운 가능성을 보았다. 우주작전은 단순히 군사적 목적을 넘어서, 우리 인류의 미래를 위한 중요한 발판이 될 것이다. 우리는 우주를 새로운 전장으로 삼아, 그 속에서 우리의 안전과 번영을 지키기 위해 노력할 것이다. 이는 단순히 현재의 임무를 수행하는 것이 아니라, 미래를 위한 투자이기도 하다.

또한 SPACE 100 과정의 신설은 단순한 교육 과정 그 이상의 의미를 지닌다. 이는 한미 간의 새로운 동맹의 시작을 알리는 신호탄이며, 우리의 군사적 역량을 우주로 확장하는 첫걸음이다. 이 과정을 통해 우리는 우주의 무한한 가능성을 탐색하고, 그 속에서 우리의 미래를 만들어 나갈 것이다. 우리 학생장교들의 눈빛에는 새로운 도전에 대한 결의와 희망이 빛나고 있었다. 그들은 우주라는 새로운 전장에서 우리의 안전과 번영을 지키기 위해, 그리고 미래의 가능성을 열기 위해 한 걸음 한 걸음 나아가고 있다. 이들이 만들어 갈 미래는 단순히 군사적 목표를 넘어, 우리 인류의 새로운 희망이 될 것이다.

SPACE 100 과정을 마치며, 나는 많은 생각에 잠겼다. 나 역시 이 새로운 도전의 하나로서, 우리의 군사적 역량을 우주로 확장하는 데 기여하게 되어 무한한 자부심을 느꼈다. 이 과정은 나에게도 많은 것을 깨닫게 해주었다. 우리는 지구에서의 경계를 넘어, 우주라는 무한한 공간 속에서 새로운 가능성을 탐색해야 한다. 이는 단순히 군사적 목적을 넘어서, 우리의 미래를 위한 중요한 과제이다.

우리는 이제 지상에서 우주로 향하는 여정을 시작했다. 그 여정의 첫걸음을 내디딘 지금, 나는 우리 군의 미래가 밝고 희망차다고 확신한다. 나는 이 이야기를 더 많은 사람들과 나누고 싶다. 우리의 노력과 결의가 얼마나 중요한지, 그리고 그 속에서 우리의 미래를 만들어가는 것이 얼마나 중요한지 말이다. SPACE 100 과정은 그 첫걸음에 불과하다. 우리는 앞으로도 지속적으로 우주력을 발전시켜 나갈 것이다. 그리고 이 과정을 통해 얻은 지식과 경험은 우리의 미래를 밝히는 등불이 될 것이다.

SPACE 100 국내과정 전문교관들과 함께

국제적 우주 협력
글로벌 센티널 2024 참가

별들이 총총히 빛나는 밤하늘 아래, 나는 우주의 무한한 가능성을 꿈꾸며 걸음을 내디뎠다. 그 꿈의 여정은 2024년 2월, 캘리포니아 반덴버그 우주군 기지에서 열린 「글로벌 센티널(Global Sentinel) 2024」 연습으로 이어졌다. 이번 연습은 28개국의 대표들이 모여 우주의 안전과 안정을 위한 협력을 다짐하는 자리였다. 나는 육군본부 정책실 우주정책지원장교로, 육군을 대표해 이 역사적인 연습에 육군 최초로 참가하게 되었다.

「글로벌 센티널」은 그 이름처럼 전 세계가 하나의 별 아래 모여, 우주의 평화를 지키기 위해 협력하는 중요한 연습이었다. 처음에는 2014년 7개국이 참여하는 작은 규모의 행사로 시작되었으나, 이제는 28개국 250여 명이 참석할 만큼 그 규모와 복잡성이 크게 확대되었다. 이 연습의 주요 목적은 우주 상황 인식을 개선하고, 다양한 국가 간의 협력을 강화하는 데 있었다. 우주에서의 위협에 대비하고, 각국의 우주작전 능력을 극대화하는 것이 연습의 목표였다.

「글로벌 센티널 2024」에는 미국을 비롯한 호주, 벨기에, 브라질, 캐나다, 콜롬비아, 독일, 스페인, 핀란드, 프랑스, 영국, 그리스, 이탈리아, 이스라엘, 일본, 네덜란드, 노르웨이, 뉴질랜드, 페루, 폴란드, 포르투갈, 루마니아, 스웨덴, 태국, 우크라이나, 대한민국 등 많은 국가가 참여했다. 이러한 국제적 협력은 단순히 기술적 교류를 넘어, 우주에서의 평화와 안정을 위한 국제적 파트너십의 중요성을 상징했다.

나는 「글로벌 센티널 2024」에 참관 자격으로 참여했다. 우리 육군을 대표해 이 역사적 연습에 최초로 참여하게 되어 큰 자부심과 책임감을 느꼈다. 현장에 도착했을 때, 각국의 대표들이 하나의 목표를 위해 협력하는 모습을 보며 감동하였다.

연습이 시작되면 각국의 대표들은 지역 우주작전센터에 배치되었다. 우리나라는 우주감시센서를 통해 명령과 통제를 유지하며, 다양한 시나리오를 분석하고 계획하였다. 이 과정에서 우리는 서로의 작전 방식을 배우고, 전술을 공유하며 협력의 중요성을 다시금 깨달았다. 미 우주군의 리드는 우주영역의 복잡성을 이해하고 대응하는 데 큰 도움이 되었다.

연습 기간 동안 각국은 30여 개의 가상 상황에 대응하는 우주영역인식(SDA) 절차를 연습했다. 이는 인공위성 충돌, 우주 물체 추락 등의 상황을 포함하며, 참가국들은 다국적 연합 우주작전팀을 운영하여 지역별로 협력하고 대응 절차를 숙달했다. 한국은 호주, 일본, 뉴질랜드와 한 팀을 이루어 연습을 진행했다.

우리의 임무는 단지 우주에서의 잠재적 위협에 대응하는 것만이 아니라, 각국의 우주작전 능력을 상호 공유하고 향상하는 것이었다. 연습 중 우리나라는 우주 감시 센서를 활용하여 다양한 시나리오에 대응하는 임무를 수행했다. 연습이 진행되는 동안, 나는 우리가 왜 이런 연습을 해야 하는지, 왜 국제협력이 중요한지를 다시금 깨달았다. 각국이 서로의 기술과 전략을 공유함으로써, 우리는 더 강력하고 안전한 우주 환경을 만들어갈 수 있었다. 이는 단지 우리의 능력을 향상하는 것뿐만 아니라, 전 세계가 공동으로 우주를 안전하게 이용할 수 있도록 하는 중요한 발걸음이었다.

미국 국방부 우주정책 차관보 존 플럼은 우주에서의 동맹과 파트너십이 “중국이나 러시아가 절대 따라올 수 없는 비대칭적 이점과 전력 증강 요소”라고 강조했다. 「글로벌 센티널」은 이러한 협력의 실질적 증거로, 각국이 공동의 이해와 목표를 가지고 우주에서의 도전에 맞서 싸우는 중요한 계기가 되었다.

우주작전의 국제적 협력은 단순한 기술적 도전이 아니라, 인류가 함께 이루어가는 평화와 안전의 여정이다. 「글로벌 센티널」은 이러한 협력의 상징이며, 미래 우주작전의 방향을 제시하는 중요한 이정표로 남을 것이다. 이 연습을 통해 얻은 경험과 지식은 대한민국 육군의 우주작전 능력을 한층 더 강화할 것이다. 앞으로도 이러한 국제협력의 기회를 통해, 우리는 더 나은 미래를 향해 나아갈 것이다.

「글로벌 센티널 2024」 참가

우리 군이
우주로 나아가야 하는 이유

우리는 끊임없이 변하는 세상 속에서 새로운 미래를 꿈꾸며 살아간다. 그 꿈의 한가운데에는 우주라는 무한한 가능성이 자리 잡고 있다. 우주는 무한한 미지의 세계이자, 인류의 새로운 도전 과제이다. 우리는 왜 우주로 나아가야 할까? 그 이유는 단순한 과학적 호기심을 넘어, 우리의 안보와 미래를 위해 반드시 필요한 일이기 때문이다.

우주는 이미 새로운 전장으로 떠오르고 있다. 과거의 전쟁이 땅 위에서 벌어졌다면, 미래의 전쟁은 우주에서 벌어질 것이다. 우리 군이 우주로 나아가야 하는 첫 번째 이유는 바로 이 새로운 전장을 준비하기 위해서이다. 우주는 전략적으로 매우 중요한 위치에 있으며, 이를 선점하는 것이 곧 승리의 열쇠가 될 것이다.

우리는 우주를 통해 더 넓은 시야와 더 높은 지휘 능력을 갖출 수 있다. 통신위성, 정찰위성, GPS 등 모두 우주에서 작동하며, 우리의 군사작전에 필수적인 요소들이다. 이 모든 기술은 우리가 우주를 어떻게 활용하느냐에 달려 있다. 우주를 통해 얻는 정보와 기술은 우리의 전투력을 한층 강화할 것이다.

우주는 또한 과학기술 혁신의 최전선이다. 우주로의 진출은 새로운 과학기술을 개발하고 시험할 무한한 가능성을 제공한다. 우리는 이미 드론, 위성, 로봇 등의 과학기술을 통해 우주의 일부를 활용하고 있다. 그러나 이것은 시작에 불과하다. 우주에서는 더 혁신적이고 첨단화된 과학기술들이 우리를 기다리고 있다.

예를 들어 우주에서의 자원 채굴, 우주 정거장 건설, 우주 발사체 개발 등은 우리의 과학기술력을 한 단계 더 발전시킬 기회이다. 또한 우주 기반의 신호 수집 및 분석 시스템은 적의 행동을 예측하고 방어 전략을 강화하는 데 중요한 역할을 한다. 이는 우리가 미래의 전투에서 승리하기 위해서 필요한 요소들이다.

우리 군의 우주로의 진출은 단순히 국내적인 발전을 넘어서, 글로벌 군사 커뮤니티와의 협력을 촉진할 수 있는 계기가 된다. 현재 국제 우주 협력은 우리의 안보와 국제적 인식에 중요한 역할을 하고 있으며, 우리 군의 우주 활동은 이러한 글로벌 협력 구축에 기여할 수 있다. 우리는 다양한 나라들과 함께 우주 기술과 우주작전의 발전에 기여함으로써, 국제 사회에서의 리더십을 향상할 수 있다.

우주는 인류가 함께 나아가야 할 곳이며, 우리는 이를 위해 다양한 나라들과 협력하여 인류의 발전과 안전을 위해 노력해야 한다. 우주에서의 협력은 우리가 글로벌 리더십을 구축하고, 국제 사회의 안정과 번영을 증진할 수 있는 중요한 요소이다. 또한, 우리의 군사 기술력을 통해 글로벌 안보와 안정에 기여함으로써, 우리는 국제 사회에서 존경받는 국가가 될 수 있다.

마지막으로, 우리 군이 우주로 나아가는 것은 미래를 준비하는 것이다. 우주는 인류의 새로운 확장 지점이며, 우리의 안보와 번영을 위해 중요한 장소이다. 우리 군이 우주로의 진입을 통해 우리의 기술력, 전략적 지위, 국제적 인식을 강화하고, 미래의 도전에 대비할 준비를 갖출 수 있다. 이는 우리의 다음 세대에게 더 안전하고 번영하는 세상을 물려줄 수 있는 길이며, 우리의 군사력을 지속적으로 강화하는 데 중요한 역할을 할 것이다.
 우리 군의 우주로 이 여정은 단순한 기술적 도전을 넘어, 우리의 안보와 미래를 위한 전략적 선택이다. 우리는 우주로의 진입을 통해 군사혁신을 촉진하고, 글로벌 리더십을 확립하며, 미래의 도전에 대비할 준비를 갖출 수 있다. 이는 우리의 국가와 국민을 위한 지속적인 헌신의 결실이며, 우리가 자랑스럽게 맞이할 미래의 시작이다.

반덴버그 미 우주군 기지에 위치한 스페이스X, 팰컨 9을 배경으로

"1969년 7월 20일,

전 세계인이 TV를 통해 지켜보는 가운데

아폴로 11호가 달에 착륙하며

역사적인 인류의 첫 발자국을 찍었다.

그리고 이 놀라운 발전의 첫걸음에는

바로 아폴로 8호가 있었다.

인류 최초로 달의 궤도를 탐험한

아폴로 8호는 세간에 잘 알려지지 않았다.

하지만 아폴로 8호는

모두가 무모하고 불가능한 도전이라고 여겼던

달 착륙 프로젝트의 실마리가 되었으며,

나아가 지구 궤도 단계만 머물러 있던

우주 비행 연구를

혁신적으로 끌어올리는 역할을 했다.

우리 육군의 우주력 발전은 이제 시작이다.
어쩌면 지금 우리의 도전은 아폴로 11호보다,
아폴로 8호의 도전에 더 가까울지도 모른다.

아무도 기억하지 못하더라도,
아폴로 8호의 도전처럼
나는 오늘도 육군의 우주력 발전을 위한
초석을 다지기 위해 최선을 다한다."

Part 4

군 생활의 의미, 가족의 헌신
: 사랑과 희생의 기록

군복의 의미와 가치

내가 지난 19여 년 동안 입었던 군복은 단순한 옷이 아니었다. 그것은 내 신념, 희생, 그리고 헌신의 상징이었다. 매일 아침 군복을 입을 때마다 나는 내 존재의 의미를 되새기며, 나의 가치를 확인했다. 그 옷은 나를 단순한 사람에서 국가와 국민을 지키기 위해 헌신하는 군인으로 탈바꿈시켰다.

군복은 나에게 명예와 자긍심의 상징이었다. 아침마다 단정히 군복을 차려입으며 나는 나의 역할과 책임을 재확인했다. 그 옷은 나에게 용기와 결단력을 부여했고, 어려운 순간마다 나를 지탱해 주었다. 군복은 내 인생의 의미와 목적을 상기시켜 주는 도구였다.

군복을 통해 나는 국가의 역사를 기억하고, 그 전통을 이어 나가는 군인의 일원으로서 소속감을 느꼈다. 군복의 디자인과 색상, 휘장은 모두 과거의 영웅들과 사건들을 떠올리게 하며, 나의 임무에 대한 책임감을 강화했다. 그것은 나를 하나의 역사적인 연속성 속에 위치시키며, 나의 존재와 임무의 중요성을 일깨워주었다.

사회적으로도 군복은 나에게 큰 의미를 지녔다. 군복 입은 나는 국민들에게 안보와 신뢰의 상징으로 인식되었고, 안정감을 주었다. 이는 나의 자부심을 더욱 고취했다. 군복은 나와 국민 사이의 신뢰를 형성하고, 내가 수행하는 임무에 대한 사회적 지지를 끌어내는 중요한 역할을 했다.

군복은 나에게 동료 군인들과의 유대감을 형성해 주었다. 우리는 같은 군복을 입고 같은 목표를 향해 나아가며 서로를 믿고 의지했다. 그 유대감은 전우애를 강화하고, 우리의 조직을 더욱 단단하게 만들었다. 군복은 우리를 하나로 묶어주었고, 우리는 그 속에서 서로를 이해하고 존중하며 강한 유대감을 느꼈다.

개인적으로, 군복은 나의 정체성과 자긍심의 원천이었다. 나는 그 군복을 입고 나의 역할을 자각하며, 나의 임무에 대한 책임감을 느꼈다. 군복은 나의 희생과 헌신을 상징하며, 이를 통해 나는 나의 가치와 명예를 인정받았다. 그 옷은 나를 하나의 상징적인 존재로 만들어 주었고, 나는 그 속에서 내 존재의 의미를 찾았다.

이제 나는 군복을 입고 생활할 날이 얼마 남지 않았다. 곧 군복을 벗고 새로운 시작을 앞두고 있다. 하지만 그 속에 담긴 가치와 의미는 영원히 내 마음속에 남아 있을 것이다. 군복을 입고 보낸 시간은 내 삶의 중요한 일부로 남아, 앞으로의 여정에서도 그 가치를 잃지 않을 것이다. 군복은 나에게 있어 하나의 상징적인 존재로, 나의 삶을 지탱해 주는 원천이 될 것이다. 나는 그 속에서 배운 것들을 잊지 않고, 그 가치를 평생 간직할 것이다.

"군복을 입고
국가와 국민을 위해 헌신할 수 있는
지금, 이 순간
청운의 꿈을 품고 야전으로
힘차게 나아가던 19년 전과
변함없이 여전히 가슴 뛰며, 설렌다.

나는 오늘도 내일도 군복을 벗는 그날까지
제 위치에서 제 역할을 다할 것이다."

군 생활을 통해 얻은 값진 교훈

세상은 끊임없이 변하고, 그 변화를 가장 직접적으로 체감하기 좋은 곳 중 하나가 군대다. 군인의 삶은 도전과 성찰, 그리고 끝없는 성장의 연속이다. 나는 군 생활을 통해 많은 것을 배웠고, 그 경험들은 내 인생의 중요한 자산이 되었다.

군대는 나에게 체력과 정신력, 그리고 리더십의 중요성을 일깨워주었다. 체력은 군인에게 기본이자 필수다. 매일 반복되는 훈련과 작전은 나의 체력을 단련시켰고, 이는 나의 정신력까지 강하게 만들었다.

힘든 훈련을 통해 얻은 체력은 나를 지탱하는 기둥이 되었고, 그 기둥을 중심으로 나는 모든 어려움을 이겨낼 수 있었다. 또한 군대에서 체력 단련은 단순히 몸을 단련하는 것을 넘어, 동료들과 협력을 통해 서로를 믿고 의지할 수 있는 기반을 마련해 주었다.

군 생활 중 가장 중요한 것은 바로 리더십이다. 나는 다양한 상황에서 많은 사람들을 이끌어야 했다. 그 과정에서 나는 진정한 리더십이 무엇인지를 배웠다. 리더십은 단순히 명령을 내리는 것이 아니라, 동료들의 신뢰를 얻고, 그들과 함께 목표를 향해 나아가는 것이다. 특히, 어려운 상황일수록 리더의 역할이 중요하다. 나는 항상 앞장서서 문제를 해결하고, 동료들을 격려하며 함께 나아갔다. 그 과정에서 얻은 교훈은 나에게 큰 자산이 되었다.

군대는 나에게 책임감의 중요성을 가르쳐주었다. 군인은 항상 자신이 맡은 임무에 대해 책임져야 한다. 그 어떤 상황에서도 자신의 역할을 다하고, 결과에 대해 책임지는 자세가 필요하다. 나는 군 생활을 통해 이러한 책임감을 몸소 체험했고, 그것이 내 삶에 중요한 가치가 되었다. 특히, 실 작전 상황에서의 책임감은 나에게 큰 깨달음을 주었다. 내 결정 하나하나가 동료들의 생명과 직결된다는 것을 깨닫고, 항상 신중하게 행동했다.

군 생활은 또한 나에게 팀워크의 중요성을 일깨워주었다. 군대는 혼자서는 결코 성공할 수 없는 조직이다. 우리는 항상 함께 훈련하고, 함께 작전을 수행하며, 서로를 지원한다. 팀워크를 통해 우리는 더 큰 힘을 발휘할 수 있었고, 어려운 상황에서도 서로를 믿고 의지하며 극복해 나갔다. 나는 동료들과의 협력을 통해 팀워크의 진정한 의미를 깨달았다. 팀워크는 단순히 함께 일하는 것을 넘어, 서로를 이해하고 배려하는 것이다.

군 생활 중 내가 배운 또 다른 중요한 교훈은 바로 인내심이다. 군인은 항상 힘든 상황을 마주해야 한다. 그럴 때마다 인내심을 가지고 상황을 이겨내는 것이 중요하다. 나는 여러 번의 훈련과 작전에서 인내심을 발휘해야 했고, 그 과정을 통해 강한 정신력을 키울 수 있었다. 특히, 긴 시간 동안 이어지는 작전에서의 인내심은 나에게 큰 도움이 되었다. 어려운 상황에서도 끝까지 포기하지 않고, 목표를 향해 나아가는 자세가 중요하다는 것을 배웠다.

군 생활은 또한 나에게 소통의 중요성을 가르쳐주었다. 군대에서는 명확하고 정확한 소통이 필수적이다. 명령 전달에서부터 작전계획까지, 모든 것이 소통을 통해 이루어진다. 나는 군 생활을 통해 효과적인 소통 방법을 배우고, 이를 통해 더 나은 리더가 될 수 있었다. 특히, 위기 상황에서의 소통은 더욱 중요하다. 나는 항상 명확하게 지시하고, 동료들의 의견을 경청하며, 함께 해결 방안을 모색하기 위해 노력했다.

군 생활 중 나는 많은 실패와 좌절을 경험했다. 그러나 실패와 좌절을 통해 나는 더욱 강해질 수 있었다. 실패는 단순히 끝이 아니라, 새로운 시작을 의미한다. 나는 실패를 통해 배움을 얻고, 그것을 발판 삼아 다시 일어섰다. 실패를 두려워하지 않고, 그것을 통해 성장할 수 있다는 것을 깨달았다. 그 과정에서 나는 자신감을 얻었고, 어떤 어려움도 이겨낼 수 있는 강한 정신력을 갖추게 되었다.

군 생활은 나에게 많은 도전과 기회를 안겨주었다. 그 도전과 기회를 통해 나는 성장할 수 있었고, 많은 것을 배울 수 있었다. 특히, 국제 우주상황조치 연합연습인 글로벌센티널 2024와 같은 큰 행사에 참여하면서 다양한 경험을 쌓을 수 있었다. 그 경험들은 나에게 큰 자산이 되었고, 내 인생의 중요한 부분이 되었다.

나는 군 생활을 통해 많은 사람들을 만났고, 그들과의 인연을 통해 많은 것을 배웠다. 동료들과의 우정, 선배들의 지도, 후배들의 열정은 나에게 큰 영감을 주었다. 그들과 함께한 시간은 내 인생에서 소중한 순간 중 하나였다. 그들의 이야기를 듣고, 그들과 함께한 경험들은 나에게 큰 교훈이 되었다.

이처럼 군 생활은 나에게 많은 것을 가르쳐주었다. 체력과 정신력, 리더십과 책임감, 팀워크와 인내심, 소통과 실패를 통해 배운 교훈들은 내 삶의 중요한 자산이 되었다. 나는 군 생활을 통해 성장할 수 있었다. 이제 나는 그 교훈들을 바탕으로 이제부터 나아가고자 한다. 군 생활에서 배운 값진 교훈들은 내 삶의 중요한 지침이 될 것이다. 어떤 어려움이 닥쳐도 나는 그것을 이겨내고, 목표를 향해 나아갈 것이다. 나는 앞으로도 계속해서 성장해 나갈 것이다.

진급과 실패,
도전과 극복의 이야기

군인의 길은 끊임없는 도전과 성찰의 연속이다. 군대라는 조직은 매 순간 새로운 목표와 장애물을 제시하며 그 과정에서 우리는 성장하고 성숙해진다. 나 역시 군 생활 속에서 여러 차례의 진급과 실패를 겪으며, 그 속에서 값진 교훈들을 얻었다.

군인으로서의 진급은 개인의 경력뿐만 아니라, 군 조직의 발전과도 밀접한 관련이 있다. 나는 동기 중 가장 먼저 소령에 진급하였지만, 중령으로의 진출은 실패했다.

진급은 군 생활에서 매우 중요한 일이며, 이는 일반 사회에서도 마찬가지다. 하지만 나는 맡은 바 임무에 최선을 다했기에 후회는 없다. 남은 군 생활도 최선을 다할 것이며, 군복을 벗더라도 이러한 성공과 실패의 경험을 바탕으로 더욱 성장할 것을 믿어 의심치 않는다.

진급에 실패하고 나는 몇 가지의 교훈을 얻었다. 첫째, 진급에 실패한 경험은 나 자신의 약점을 직시하고 개선할 중요한 기회였다. 나는 나의 강점과 약점을 명확히 인식하게 되었으며, 이를 기반으로 더 나은 전략을 수립할 수 있었다. 이는 나의 자기계발을 위한 중요한 전환점이 되었다.

둘째, 진급 과정에서 리더십은 매우 중요한 요소다. 실패를 통해 나는 리더십의 중요성을 다시 한번 깨닫게 되었다. 진급을 위해서는 단순히 개인의 능력뿐만 아니라, 팀원을 이끌고 동료들과 협력하는 능력이 필수적이다. 이를 통해 스스로를 돌아보고 더 나은 리더로 성장할 수 있었다.

셋째, 진급에 실패한 후 나는 다시 목표를 설정하고 계획을 수립했다. 이는 나의 경력 발전을 체계적으로 관리하고, 미래를 위한 구체적인 전략을 수립하는 데 도움이 되었다. 목표를 명확히 하고, 이를 달성하기 위한 계획을 수립함으로써 나는 더 나은 성과를 기대할 수 있었다.

넷째, 실패를 극복하기 위해 나는 경험 많은 상급자나 동료로부터 조언을 구했다. 그들의 경험을 통해 나의 부족한 부분을 보완할 수 있었다. 멘토는 나의 미래를 위한 조언을 아끼지 않았고 필요한 역량을 습득하는 데 큰 도움을 주었다.

다섯째, 진급 실패의 경험은 나에게 지속적인 학습과 개발의 중요성을 상기시켰다. 군 조직은 물론 사회는 끊임없이 변화하고 있으며, 이에 대응하기 위해 나는 지속적으로 나의 지식과 기술을 업데이트해야 했다. 이를 통해 나는 변화하는 환경에 적응하고, 진급을 떠나 나만의 경쟁력을 갖출 수 있었다.

지난 19여 년의 시간을 돌이켜 보면, ROTC 후보생 시절, 나는 군대의 엄격한 규율과 강도 높은 훈련에 적응하는 데 많은 어려움을 겪었다. 하지만 그 과정에서 얻은 것은 단순한 체력의 향상만이 아니었다. 나 자신과의 싸움에서 이겨내는 법, 동료들과의 협력을 통해 문제를 해결하는 법, 그리고 목표를 향해 끝까지 나아가는 인내심을 배웠다. 이러한 경험들은 나의 군 생활의 기초가 되었고, 이후 여러 차례의 도전과 실패를 극복하는 데 큰 도움이 되었다.

소령으로 진급했을 때, 나는 큰 자부심과 함께 무거운 책임감을 느꼈다. 진급은 나의 노력과 성과를 인정받는 순간이었지만, 동시에 더 큰 도전과 책임이 뒤따랐다. 소령으로서 첫 임무는 53사단에서의 해안대대 작전과장 임무 수행이었다. 대대장을 보좌하여 해안 경계의 책임을 맡으며 많은 어려움과 도전에 직면했지만, 그 과정에서 얻은 교훈들은 나를 더욱 강하게 만들었다. 특히, 작전의 성공과 실패를 통해 리더십의 중요성을 깨달았고, 부대원들과의 소통과 협력이 얼마나 중요한지를 체험할 수 있었다.

중령 진급 실패 후, 나는 다시 일어설 수 있었다. 진급은 실패했지만, 나의 군 생활은 끝나지 않았다. 나는 현재 맡고 있는 임무에 더욱 집중하기로 결심했다. 그중에서도 가장 중요한 경험은 육군의 첫 우주작전장교로서 육군의 우주작전수행체계를 정립하고 발전시켰다. 또한 육군본부 정책실에서 우주정책지원장교로서 미 우주군의 우주기본과정인 SPACE 100 국내 과정 신설을 담당한 것이다. 이 과업은 나에게 새로운 도전이었고, 그 과정에서 많은 것을 배울 수 있었다.

특히 SPACE 100 과정의 신설은 많은 도전과 어려움을 동반했다. 처음부터 끝까지 모든 과정을 조율해야 했다. 미 우주군과 국내 신설을 협력하며, 미 우주군의 전문 강사를 초빙하고, 학생장교 선발, 강의장, 숙식 등 교육 과정을 전반을 기획했다. 그 과정에서 나는 국제협력의 중요성과 다양한 이해관계자들과의 소통 방법을 배울 수 있었다. 이러한 경험들은 나에게 큰 자산이 되었고, 나는 육군의 우주전문가로서 나의 역할을 다하고 있다.

군 생활에서 얻은 가장 큰 교훈 중 하는 바로 실패를 두려워하지 않는 것이다. 실패는 단순히 끝이 아니라, 새로운 시작을 의미한다. 나는 실패를 통한 배움을 얻고, 그것을 발판 삼아 다시 일어섰다. 또한 그것을 통해 성장할 수 있다는 것을 깨달았다. 그 과정에서 나는 자신감을 얻었고, 어떤 어려움도 이겨낼 수 있는 강한 정신력을 갖추게 되었다.

진급과 실패를 경험하며, 나는 항상 도전과 극복의 이야기를 써 내려갔다. 군 생활 속에서 얻은 경험들은 나를 단단하게 만들었고, 어떤 어려움도 이겨낼 수 있는 자신감을 심어주었다. 특히, 실패를 통해 배운 교훈들은 나의 삶에서 가장 값진 자산이 되었다.

소령 진급의 기쁨과 중령 진급 실패의 아픔 그 모든 경험들은 나를 더욱 강하게 만들었다. 나는 군 생활을 통해 체력과 정신력, 리더십과 책임감, 팀워크와 인내심, 소통과 실패를 통해 배운 교훈들은 내 삶의 중요한 자산으로 삼고 있다. 나는 앞으로도 이 교훈들을 바탕으로 나아갈 것이며, 군복을 벗더라도 그 경험들은 내 인생의 큰 지침이 될 것이다.

군 생활에서 얻은 값진 교훈들을 마음속 깊이 간직하며, 나는 앞으로도 계속해서 성장해 나갈 것이다.

육군의 핵심가치,
육군 참군인대상

군인. 이 단어에는 수많은 의미가 담겨 있다. 책임과 헌신, 희생과 충성이 바로 그것이다. 군인의 본분을 다하는 자, 육군의 핵심가치를 가장 잘 실천한 자에게 주어지는 최고의 영예, 육군 「참군인 대상」, 나는 2019년, 그 영광스러운 상을 받았다.

육군 핵심가치는 '위국헌신, 책임완수, 상호존중' 세 가지로, 나는 위국헌신 부문 수상자로 육군 「참군인 대상」을 수상했다. 나는 이 가치를 가슴 깊이 새기며, 국가와 국민을 위한 헌신을 이어가고 있다. 이 상은 개인의 명예를 넘어, 군 전체의 사기를 높이고, 군인의 사명감을 고취하는 중요한 역할을 한다.

「참군인 대상」을 수상한 그날, 나는 수상의 기쁨과 상의 무게를 느끼며 가족들과 함께 부산나음소아암센터를 찾았다. 「참군인 대상」 상금 100만 원과 1년 동안 모은 헌혈증 20장을 기부하기 위해서였다. 이는 내가 평소 꾸준히 실천해 온 헌혈과 조혈모세포 기증 희망자 등록, 해외 결연아동 후원 등 작은 나눔의 연장이었다. 기부는 단순한 물질적 지원을 넘어, 소아암 어린이들에게 삶의 희망을 나누기 위한 작은 노력이다. 나는 이 기부 활동을 통해 부대 전우들에게도 생명나눔의 중요성을 알리고 참여를 독려했다. 이는 단지 개인의 선행에 그치지 않고, 더 나아가 군인의 책임을 다하기 위한 의지의 표현이었다.

「참군인 대상」을 수상한 것은 개인적인 영광이자 무거운 책임이었다. 이 상은 나 혼자가 아닌, 함께 근무하는 전우들과 그들의 지지, 그리고 가족들의 희생이 있었기에 가능했다. 특히, 세 자녀에게도 '주변 사람들에게 조금이나마 사랑을 나눌 수 있는 사람으로 자라길' 바라는 마음을 전했다.

지금, 이 순간에도 전후방 각지에서 제 위치에서 제 역할을 다하고 있는 참군인들이 많이 있다. 그들은 묵묵히 자신의 임무를 수행하며 국가와 국민을 위해 헌신하고 있다. 이들의 노력과 헌신이 있기에 우리는 안전하게 생활할 수 있으며, 국가의 안보가 지켜지고 있다.

나는 지금 육군본부 정책실에서 새로운 도전 중이다. 이는 단지 군사적 임무를 넘어, 국가와 국민을 위한 또 다른 헌신의 길이다. 앞으로도 변함없이 육군의 핵심가치를 실천하며, 참군인의 길을 걸어갈 것이다.

「참군인 대상」은 단지 상의 의미를 넘어, 진정한 헌신과 책임, 그리고 나눔을 가치를 실천하는 모든 군인에게 귀감이 될 것이다. 이 상의 수상자로서, 나는 그 책임과 영광을 가슴 깊이 새기며, 앞으로도 국가와 국민을 위해 최선을 다할 것을 다짐한다.

"지금, 이 순간에도
전후방 각지에서 묵묵히 맡은 바 임무에
최선을 다하고 있는 많은 분이 계십니다.
저는 그분들이
이 시대의 진정한 참군인이라 생각합니다.
저는 앞으로 그분들과 함께
제 위치에서 제 모습으로 제 역할을 다하며
적과 싸워 승리하고, 국민에게 신뢰받는
강한 육군, 자랑스러운 육군, 함께하는 육군을
만드는데 최선을 다하겠습니다. 감사합니다."

참군인 대상 시상식에서

헌신의 가치,
위국헌신상의 의미

살면서 우리는 수많은 선택을 한다. 그 선택들은 때로는 사소하게, 때로는 중대하게 우리의 삶을 변화시킨다. 나에게 있어, 군인의 길을 선택한 것은 단순한 직업을 넘어선 사명이었다. 나는 군복을 입으며 나라를 위해 헌신하는 삶을 선택했다. 그리고 그 선택의 결실로, 나는 제12회 「위국헌신상」 수상자로 선정되었다. 이 상은 나에게 있어 단순한 트로피가 아닌, 헌신의 진정한 가치를 일깨워준 중요한 순간이었다.

「위국헌신상」은 2010년 안중근 의사 순국 100주년을 맞아 제정된 상이다. 이 상은 나라를 지키기 위해 본분을 다하는 참 군인과 국방 및 안보 분야 발전에 기여한 군인, 군무원에게 수여된다. 나는 육군 지상작전사령부에서 전자전장교로서 맡은 바 임무를 성실히 수행하며 이 상을 받게 되었다. 이 상을 받으며 나는 안중근 의사와 같은 순국선열들의 희생과 헌신을 다시 한 번 되새기게 되었다.

군인의 삶은 보이지 않는 곳에서 끊임없는 노력과 헌신으로 이루어진다. 나는 전자전장교로서 주한미군 측과 협력하여 연합 전자전을 계획하고 수행했다. 또한 우리 육군의 첫 우주작전을 수행하며 우주작전 역량을 강화하기 위해 노력했다. 이러한 노력은 때로는 눈에 띄지 않고, 때로는 인정받지 못할 때도 있었다. 하지만 나는 그 모든 순간이 국가와 국민을 위한 길이라는 확신을 가지고 있었다. 「위국헌신상」을 받으면서, 이러한 나의 노력이 헛되지 않았음을 느꼈다.

헌신의 길에는 기쁨과 슬픔이 공존한다. 나는 군 생활을 하며 많은 도전과 어려움을 겪었다. 때로는 진급에 실패하기도 하고, 때로는 예상치 못한 상황에서 큰 결정을 내려야 했다. 그러나 이러한 순간들은 나를 더욱 강하게 만들었고, 내 헌신의 의미를 더욱 깊게 이해하게 했다. 「위국헌신상」을 받으며, 나는 그 모든 순간이 내 헌신의 가치를 증명해 주는 소중한 경험임을 깨달았다.

나의 헌신 뒤에는 항상 가족의 지지와 사랑이 있었다. 아내와 아이들은 나의 가장 큰 버팀목이었다. 그들은 내가 군 생활을 이어갈 수 있도록 항상 응원하고 지지해 주었다. 특히, 아내는 나의 군 생활의 어려움을 함께 나누며, 나에게 큰 힘이 되어주었다. 가족의 헌신과 지지가 없었다면, 나는 지금의 자리에 있을 수 없었을 것이다. 「위국헌신상」을 받으며, 나는 이 상을 가족과 함께 나누고 싶었다. 그들의 헌신이 있었기에, 나의 헌신도 가능했기 때문이다.

군 생활에서는 동료들의 헌신도 매우 중요하다. 나는 많은 훌륭한 동료들과 함께 일하며, 그들의 헌신을 통해 많은 것을 배웠다. 그들은 나에게 큰 자극이 되었고, 내 헌신의 의미를 더욱 깊게 이해하게 했다. 우리는 서로를 격려하며, 함께 어려움을 극복해 나갔다. 「위국헌신상」은 나 혼자만의 것이 아님을 깨달았다. 이것은 나와 함께 헌신한 모든 동료의 상이었다.

헌신의 가치는 단순히 자신의 임무를 다하는 것에 그치지 않는다. 그것은 나눔과 사랑을 통해 더욱 빛난다. 나는 헌혈과 기부를 통해 나의 헌신을 더욱 확장해 나갔다. 특히, 소아암 환아들에게 헌혈증을 기부하며, 그들에게 작은 희망을 전할 수 있었다. 이러한 나눔의 실천은 나에게 큰 기쁨과 보람을 주었고, 헌신의 진정한 의미를 깨닫게 해주었다.

또한 나는 「위국헌신상」을 받으며, 나의 헌신이 단순한 개인의 노력에 그치지 않음을 깨달았다. 그것은 국가와 국민을 위한 길이며, 우리의 미래를 위한 중요한 임무였다. 나는 이 상을 통해 나의 헌신이 얼마나 중요한지, 그리고 그 헌신이 얼마나 많은 사람들에게 영향을 미치는지를 다시 한번 되새기게 되었다. 「위국헌신상」은 나에게 있어 영원한 기억으로 남을 것이며, 앞으로도 내 헌신의 길을 더욱 굳건히 걸어갈 힘이 되어줄 것이다.

나는 위국헌신의 의미를 되새기며, 나는 앞으로의 길을 더욱 힘차게 걸어갈 것이다. 「위국헌신상」은 나에게 있어 큰 영광이자, 헌신의 가치를 증명해 주는 중요한 순간이었으며, 나의 헌신이 많은 사람들에게 영향을 미쳤음을 보여주는 증거였다.

앞으로도 나는 국가와 국민을 위해, 그리고 내 가족과 동료들을 위해 계속해서 헌신의 길을 계속 걸어갈 것이다. 그 길이 때로는 힘들고 어려울지라도, 나는 그 모든 순간을 감사하게 받아들일 것이다. 나의 헌신이 많은 사람들에게 희망과 용기를 주기를 바라며, 앞으로도 계속해서 나의 사명을 다할 것이다.

김재엽
임병찬
황병익
조주영
이정영
故 기태석
리엄 리브스
제12회
민국 국방부
of National Defense

위국헌신상 시상식에서

보이지 않는 영웅들, 군인 가족의 사랑

군인의 삶은 고독하고 험난하다. 그러나 그 길을 함께 걸어가는 보이지 않는 영웅들이 있다. 바로 군인 가족들이다. 그들은 묵묵히 뒤에서 우리를 지지하고, 우리의 고난과 희생을 함께 나누며, 보이지 않는 힘이 되어준다.

군인의 가족이 된다는 것은 단순히 남편이나 아버지, 아내나 어머니를 군인으로 둔다는 것을 넘어선다. 그것은 그들이 매일 겪는 불안과 두려움, 그리고 희생을 함께 짊어진다는 것을 의미한다. 내가 처음 군인이 되겠다고 결심했을 때, 내 가족들은 나를 지지해 주었고, 나의 선택을 존중하며, 나에게 용기와 힘을 주었다.

훈련과 작전, 그리고 긴 긴장의 연속 속에서 가족들의 존재는 나에게 큰 위안이 되었다. 그들의 따뜻한 말 한마디, 작은 격려의 손길은 나를 다시 일어서게 만드는 힘이었다. 지난 19여 년의 군 생활 간 많은 작전과 훈련 동안 가족들의 지지는 큰 힘이 되었다. 그들은 내가 겪는 고난과 어려움을 함께 나누며, 나에게 용기와 희망을 주었다.

군 생활은 종종 긴 이별을 의미하기도 한다. 길고 긴 작전과 훈련 기간 동안, 가족들과 떨어져 지내는 시간은 나에게 큰 어려움이었다. 그러나 그들은 언제나 나를 기다려주었다. 내가 돌아왔을 때, 그들의 따뜻한 환영과 미소는 나의 지친 몸과 마음을 치유해 주었다. 그 순간들은 나에게 군인으로서의 삶을 견딜 수 있게 해준 원동력이었다.

나의 아내는 진정한 영웅이다. 그녀는 나의 군 생활 내내 나를 지지하며, 가족을 돌보았다. 내가 부재중일 때, 그녀는 가정을 지키고 아이들을 키우며, 모든 것을 혼자서 감당해야 했다. 그녀의 헌신과 사랑은 나에게 큰 힘이 되었다. 그녀는 나에게 있어 가장 든든한 버팀목이었고, 내가 힘들 때마다 나를 일으켜 세워준 존재였다.

나의 아이들 역시 나에게 큰 기쁨과 위안이 되었다. 그들은 아빠의 군복을 자랑스럽게 여기며, 나를 응원해 주었다. 아이들의 순수한 마음과 웃음은 나의 힘든 군 생활을 견딜 수 있게 해준 큰 힘이 되었다. 그들이 자라나는 모습을 지켜보며, 나는 더욱 강해지고, 군인으로서의 책임감을 느꼈다.

군인 가족들의 희생은 종종 보이지 않는다. 그들은 뒤에서 묵묵히 군인을 지지하며, 그들의 고난과 희생을 함께 나눈다. 그들의 희생과 헌신은 군인들이 임무를 수행할 수 있게 해주는 중요한 힘이 된다. 나는 그들의 사랑과 지지에 항상 감사하며, 그들에게 깊은 존경과 감사를 표한다.

군 생활 동안, 나는 많은 어려움과 도전을 겪었다. 그러나 그 모든 순간 뒤에는 가족들의 지지와 사랑이 있었다. 그들의 존재는 나에게 있어 가장 큰 힘이 되었다. 나는 그들의 희생과 헌신을 기억하며, 그들에게 보답하기 위해 최선을 다하고자 했다.

특히 기억에 남는 순간은 내가 중령 진급에 실패했을 때였다. 그때 나는 큰 좌절감에 빠졌다. 그러나 나의 아내와 아이들은 나에게 용기를 주었고, 다시 일어설 수 있도록 도와주었다. 그들은 나의 실패를 함께 나누며, 나에게 다시 도전할 힘을 주었다. 그들의 지지와 사랑 덕분에 나는 다시 일어설 수 있었고, 새로운 목표를 향해 나아갈 수 있었다.

군 생활은 나에게 많은 것을 가르쳐주었다. 그러나 그중에서도 가장 큰 교훈은 가족의 중요성이다. 그들은 나의 군 생활 속에서 항상 나를 지지하며, 나에게 큰 힘이 되어주었다. 그들의 희생과 헌신은 나에게 있어 가장 소중한 자산이며, 나는 그들에게 항상 감사한 마음을 가지고 있다.

군 생활은 종종 고독하고 힘든 길이다. 그러나 그 길을 함께 걸어가는 가족들이 있기에, 나는 그 길을 계속해서 걸어갈 수 있었다. 그들은 나의 보이지 않는 영웅들이다. 그들의 사랑과 지지 덕분에 나는 군인으로서의 삶을 견딜 수 있었고, 그들의 희생과 헌신 덕분에 나는 더욱 강해질 수 있었다.

나는 그들에게 항상 감사하며, 그들의 사랑과 지지를 마음속 깊이 간직하고 있다. 그들은 나에게 있어 가장 큰 힘이자, 나를 지탱해 주는 버팀목이었으며, 그들의 사랑은 나를 성장시키는 원동력이었다.

나는 앞으로도 그들의 사랑과 지지를 기억하며, 군인의 임무를 다할 것이다. 그리고 군복을 벗더라도, 그들의 희생과 헌신을 잊지 않고, 항상 감사한 마음을 가지고 살아갈 것이다. 그들은 나의 보이지 않는 영웅들이며, 나의 삶에서 가장 중요한 존재들이다.

8번의 이사,
군 가족의 적응기

군 생활은 시작부터 끝까지 이사와의 싸움이었다. 2009년 12월 아내와 결혼 후 우리는 푸른 들판과 고요한 산들이 우리를 둘러싸고 있는 전남 장성군에서 첫 발걸음을 내디뎠다. 아내는 처음으로 군인 아내로서의 삶을 시작했으며, 낯선 집에 익숙한 냄새를 채워 넣는 그녀의 모습은 언제나 감동적이었다.

4개월 후 우리는 짐을 싸서 경기 고양시로 향했다. 고양시에서는 우리의 첫딸, 경하가 태어났다. 경하의 첫 울음소리는 우리 가정에 새로운 빛을 비추었고, 나는 아버지가 되는 기쁨을 처음으로 맛보았다. 아내는 그곳에서 새로운 친구들을 만났다. 나도 새로운 부대에서 새로운 임무를 맡으며 한층 더 성장할 수 있었다.

경기 포천시로의 이사는 우리 가족에게 또 다른 도전이자 기회였다. 이곳에서는 우리의 둘째, 동하가 태어났다. 동하의 탄생은 우리 가정에 또 다른 기쁨을 안겨주었다. 포천의 차가운 겨울밤, 나는 야간 근무를 서며 포천의 바람을 맞았고, 그 사이 우리 가족은 낯선 집 안에서 서로를 의지하며 지냈다. 두 아이의 부모로서 우리는 더욱 단단해졌고, 아이들은 서로를 친구삼아 성장해 갔다.

경기 가평군으로의 이사는 마치 또 다른 세상으로의 여행 같았다. 아름다운 자연환경 속에서 우리의 막내, 린하가 태어났다. 린하의 첫 울음소리는 가평의 푸른 산과 강을 배경으로 울려 퍼졌다. 새로운 가족 구성원의 탄생은 우리에게 큰 기쁨을 주었고, 가평의 산과 강은 우리에게 새로운 추억을 선물해 주었다. 그러나 군인의 삶은 언제나 준비된 전쟁터와 같았다. 나는 대위 진급 후 첫 참모 직위로 보직되어 다시 한번 몸과 마음을 다해 일했다. 가족은 그런 나를 이해하고 응원해 주었다.

대전시로의 이사는 도심 생활의 시작이었다. 넓은 도로와 빌딩들 사이에서 우리는 또 다른 적응기를 맞이했다. 첫째, 경하는 초등학교에 입학했고, 아내는 새로운 이웃들과 친해지기 위해 노력했다. 나는 소령 진급 후 새로운 부대에서 더 많은 책임을 맡으며, 가족의 소중함을 다시 한번 깨달았다. 대전의 밤하늘 아래, 우리는 서로의 존재에 감사하며 지냈다.

울산시로의 이사는 바다의 향기를 느낄 수 있는 새로운 시작이었다. 울산의 해안과 공업 단지는 우리에게 또 다른 도전을 안겨주었다. 나는 해안 경계 임무를 맡았고, 아내와 아이들은 바다를 바라보며 새로운 꿈을 키웠다. 우리는 울산에서 많은 추억을 만들었고, 그곳에서의 시간은 우리 가족을 더 단단하게 만들어 주었다.

부산시는 바다와 산이 어우러진 도시였다. 바쁜 항구와 활기찬 시장 속에서 우리는 또 다른 적응기를 맞이했다. 그러나 부산에 도착했을 때, 세상은 크게 변해 있었다. 코로나19 팬데믹이 터진 것이다. 전 세계가 혼란에 빠졌고, 우리 가족도 그 영향에서 벗어날 수 없었다. 나는 군인으로서 임무를 다하면서도, 가족의 안전을 지키기 위해 최선을 다해야 했다. 아내와 아이들은 집 안에서 많은 시간을 보내며, 서로를 돌보고 격려했다. 우리는 함께 이 어려운 시기를 이겨내기 위해 노력했다.

용인시로의 이사는 다시 한번 도심 생활로 돌아오는 여정이었다. 넓은 공원과 다양한 시설들이 있는 용인에서 우리는 좀 더 안정적인 생활을 할 수 있었다. 아이들은 용인에서 새로운 학교와 친구들을 만났고, 아내는 다양한 문화 활동을 즐겼다. 나는 용인의 새로운 부대에서 임무를 수행하며, 가족과 함께 보내는 시간을 더욱 소중히 여겼다.

마지막으로 계룡시로의 이사는 우리 가족의 군 생활을 마무리하는 중요한 이정표였다. 계룡시는 군인들의 도시로, 나에게 많은 동료들과의 재회와 새로운 만남을 의미했다. 가족은 계룡에서의 생활을 통해 또 다른 적응기를 겪으며, 함께한 시간의 소중함을 다시 한번 느꼈다.

이렇게 여덟 번의 이사를 통해, 우리는 전국을 돌아다니며 수많은 도전과 변화를 경험했다. 각기 다른 지역에서의 생활은 우리 가족을 더 단단하게 만들어 주었고, 서로에 대한 사랑과 헌신을 더 깊게 만들어 주었다.

이삿짐을 싸고 풀 때마다 우리는 새로운 시작을 준비했다. 낯선 곳에서의 적응은 때로는 힘들었지만, 그것은 곧 우리 가족의 강인함과 유연함을 증명하는 과정이었다. 전국 각지에서의 생활은 우리에게 각기 다른 추억과 경험을 선사했고, 그 경험들은 우리 가족의 이야기를 더욱 풍부하게 만들어 주었다.

나는 군 생활 속에서 가족의 사랑과 헌신이 얼마나 중요한지 다시 한번 깨닫게 되었다. 우리 가족이 겪은 이 여덟 번의 이사는 단순한 이사가 아니라, 우리 가족의 사랑과 헌신의 기록이었다. 그리고 지금, 이 순간에도 각자의 자리에서 맡은 바 임무를 다하는 모든 군인 가족에게 감사와 존경의 마음을 전하고 싶다.

이제 우리는 또 다른 여정을 준비하며, 더 나은 내일을 향해 나아갈 것이다. 가족이 함께라면, 어떤 도전도 두렵지 않다. 함께한 모든 순간에 감사하며, 앞으로의 시간도 소중히 여기겠다.

Part 5
미래를 향한 꿈과 메시지
: 내일을 향해 가는 길

우주로 향하는 길

별빛 가득한 밤하늘을 올려다보면, 그 광활한 우주의 한가운데서 인간은 얼마나 작은 존재인지 실감하게 된다. 우리는 이제 그 무한한 가능성을 향한 새로운 여정을 시작하려 한다. 우주영역에서 우리 군의 미래는 협력과 새로운 도전을 통해 더욱 찬란하게 빛날 것이다.

나는 군인의 길을 걸으며, 수많은 도전과 성취를 경험했다. 그러나 우주로의 여정은 그 모든 경험을 뛰어넘는 새로운 도전이었다. 우주영역은 복잡하고 난해한 분야였고, 그 안에서 우리 군이 나아가야 할 방향을 찾는 과정은 더욱 어려웠다. 그러나 우리는 포기하지 않았다. 무한한 가능성을 믿었고, 그 가능성을 실현하기 위해 끊임없이 노력했다.

현재 우리 군은 우주영역을 단순히 군사작전의 승리를 위해 활용하는 데 초점을 맞추고 있다. 이는 우주영역이 군사적, 전략적 중요성을 지니고 있기 때문이다. 통신위성, 정찰위성, GPS 등은 현대 군사작전의 핵심 요소로 자리 잡았다. 우주영역에서의 우위를 선점하는 것은 지상, 해상, 공중영역에서의 우위를 의미하기도 한다. 그러나 단순히 군사적 승리를 위한 활용에만 초점을 맞추는 것은 한계가 있다. 우주영역은 군사적 활용뿐 아니라 다양한 분야에서 잠재력을 지니고 있다.

미래의 우주영역은 기술 개발, 국제협력, 자원 탐사 등 여러 방면에서 도전 과제를 안고 있다. 우주 환경 보호, 우주 쓰레기 처리, 인류의 지속 가능한 우주 활동 등도 중요한 과제로 대두되고 있다. 우리 군은 우주영역의 활용을 군사적 목적에 국한하지 않고, 다양한 분야에서의 협력과 혁신을 통해 우주영역에서의 미래를 준비해야 한다. 국제협력을 강화하고, 우주 전문 인력을 양성하며, 새로운 기술을 개발하는 것이 그 첫걸음이다. 이를 통해 우리는 우주영역에서의 경쟁력을 확보하고, 더 나아가 인류의 평화와 번영을 위한 기여를 할 수 있을 것이다.

우주영역의 시작은 단순히 기술의 문제가 아니다. 그것은 우리 군의 새로운 역할과 사명을 정의하는 일이다. 지구를 넘어 우주로 확장된 전장은 새로운 전략과 전술이 필요하다. 나는 그동안 군에서의 배움을 통해, 우리가 나아가야 할 방향을 찾기 시작했다. 우주영역은 새로운 가능성으로 가득한 미지의 영역이었다.

우주영역의 미래를 위해 가장 중요한 것은 협력이다. 「글로벌 센티널」과 같은 국제적 연합연습에 참여하면서, 우리는 다른 나라들과의 협력 관계를 강화할 수 있다. 이 과정에서 우리는 서로의 기술과 전략을 공유하며, 상호 발전할 기회를 얻을 수 있다. 국제협력은 단순히 기술적인 문제를 해결하는 것을 넘어, 우리의 우주력 강화에 큰 시너지를 제공할 것이다.

또한, 미 우주군의 우주교육은 우리 군의 우주작전 역량을 한층 더 강화하는 중요한 계기가 되었다. SPACE 100 국내 과정 신설을 통해 우리 군의 우주작전 전문성을 높이는 데 크게 기여했고, 이 과정을 통해 우리는 우주작전의 전문성을 갖춘 인재를 양성할 수 있었다. 이는 곧 우리 군의 경쟁력을 높이는 데 중요한 역할을 했다.

우주로의 여정은 결코 혼자가 아니다. 우리는 국제적 파트너들과 함께 협력하며, 새로운 도전에 맞서 나아갈 것이다. 우주영역에서의 미래를 위해 우리는 끊임없이 기술을 발전시키고, 새로운 전략을 모색해야 한다. 그 과정에서 우리는 협력과 상생을 염두에 두어야 한다. 우주영역의 국제적 협력은 공동 연구와 개발, 기술 공유, 인재 교육 등 다양한 형태로 이루어질 수 있다.

우주 자원의 탐사와 개발에서도 국제적 협력은 필수적이다. 우주 자원은 인류 전체의 자산이다. 따라서 우리는 이러한 자원을 효율적으로 관리하고, 공정하게 분배할 수 있는 국제적 협력 체계를 구축해야 한다. 새로운 도전은 항상 우리 앞에 있다. 우주 쓰레기 문제, 우주 환경 변화, 우주에서의 군사적 충돌 가능성 등 수많은 도전이 우리를 기다리고 있다.

그러나 이러한 도전을 해결하기 위해 우리는 끊임없이 연구하고, 새로운 기술을 개발하며, 국제적 협력을 강화해야 한다. 그 과정에서 우리는 더욱 강력하고, 더욱 효율적인 우주력을 구축할 수 있을 것이다. 우주영역의 미래는 무한한 가능성을 품고 있다. 그리고 그 가능성을 실현하기 위해 우리는 끊임없이 노력해야 한다. 우주로의 여정은 길고 험난하지만, 그 끝에는 우리가 꿈꾸는 미래가 기다리고 있다.

우주를 향해 나아가야 하는 이유는 단순히 기술의 진보를 넘어서, 인류의 생존과 번영을 위한 필수적인 길이기 때문이다. 우주는 무한한 자원과 에너지를 제공할 수 있는 곳이며, 그곳을 지배하는 나라는 미래의 패권을 쥐게 될 것이다. 그렇기 때문에 우리는 지금, 이 순간에도 끊임없이 우주를 향한 도전을 멈추지 않고 있다.

우주영역에서의 미래는 단순히 군사적 승리를 넘어서서, 인류의 지속 가능한 발전과 평화를 위한 도구가 될 것이다. 우리 군은 이러한 비전을 가지고 우주영역에서 준비하고, 미래를 향해 나아가야 한다. 우주영역의 미래는 무한한 가능성을 품고 있다. 그러나 그 가능성을 실현하기 위해서는 수많은 도전과 장애물을 극복해야 한다. 우주 환경은 매우 가혹하며, 우리의 기술과 자원이 충분하지 않을 수 있다. 그러나 이러한 어려움 속에서도 우리는 포기하지 않고 나아가야 한다. 왜냐하면 우주영역의 미래는 곧 우리의 미래이기 때문이다.

우주영역에서의 미래를 향한 우리의 도전은 이제 시작에 불과하다. 그러나 그 시작이야말로 가장 중요한 순간이다. 우리는 지금, 이 순간에도 끊임없이 연구하고, 기술을 발전시키며, 국제적 협력을 강화하고 있다. 그 모든 노력이 모여, 우리는 더욱 강력하고, 더욱 효율적인 우주력을 구축할 수 있을 것이다.

우주영역에서의 미래는 우리가 만들어가는 것이다. 그리고 그 미래를 위해 우리는 끊임없이 도전하고, 협력하며, 나아가야 한다. 그 길 끝에서 우리가 이루게 될 성취는, 지금 우리가 상상하는 것보다 훨씬 더 크고 위대할 것이다. 미래를 향해, 새로운 도전을 두려워하지 않고 맞서며, 우리는 우리의 꿈을 실현해 나갈 것이다.

반덴버그 미 우주군기지에서

"우주는 우리에게
별빛보다 찬란한 기회를 선사할 것이다."

각종 도발 대비
징비록에서 배워야 한다

현대의 안보 환경은 이전보다도 더 복합적이고, 예측 불가능하다. 사이버 공격, 테러, 비대칭 전쟁 등 다양한 형태의 도발이 일상화되고 있으며, 이에 대비하는 전략은 이제 필수다. 이런 상황에서, 우리는 과거의 역사적 교훈을 통해 미래를 대비할 수 있다. 「징비록」은 그중에서도 중요한 교훈을 제공하는 책이다. 「징비록」은 임진왜란 당시의 참상을 기록한 서책으로, 류성룡 선생이 자신의 경험을 토대로 후세에 전하는 경계와 반성의 메시지를 담고 있다.

임진왜란은 1592년부터 1598년까지 조선과 일본 사이에 벌어진 대규모 전쟁으로, 조선 역사상 가장 큰 위기 중 하나였다. 이 전쟁은 조선의 국토와 국민에게 막대한 피해를 줬으며, 국가의 존립 자체가 위협받는 상황이었다. 당시 류성룡 선생은 조선의 주요 관료로서 전쟁 초기의 혼란 속에서도 국난을 극복하기 위해 노력했다. 그는 국방체계를 정비하고, 이순신 장군과 함께 해전에서의 승리를 끌어내는 등 중요한 역할을 했다.

임진왜란이 끝난 후, 류성룡 선생은 전쟁의 교훈을 후세에 전하기 위해 「징비록」을 집필했다. 「징비록」은 단순한 전쟁 기록이 아니라, 전쟁에서의 실패와 성공, 그리고 그로부터 배워야 할 점들을 상세히 기록한 서책이다. 류성룡 선생은 이 책을 통해 당시 조선의 준비 부족과 전략적 실수를 반성하고, 후세가 동일한 실수를 반복하지 않도록 경고했다. 이 책은 오늘날에도 중요한 교훈을 제공하며, 현대의 안보 상황에서도 유용한 지침이 된다.

「징비록」에서 중요한 교훈 중 하나는 철저한 준비와 대비의 중요성이다. 임진왜란 초기 조선은 일본의 침략에 대비하지 못하고, 속수무책으로 당할 수밖에 없었다. 이는 국방체계의 허술함과 준비 부족에서 비롯된 결과였다. 류성룡 선생은 이를 깊이 반성하며, 철저한 준비가 전쟁의 승패를 좌우한다는 점을 강조했다. 현대의 안보 환경에서도 이 교훈은 유효하다. 다양한 도발과 위협에 대비하기 위해 우리는 항상 준비된 상태를 유지해야 한다.

「징비록」은 정보와 의사소통의 중요성도 강조하고 있다. 전쟁 초기 조선은 적의 동향에 대한 정확한 정보를 얻지 못하고, 그로 인해 초기 대응에 실패했다. 류성룡 선생은 정보 수집과 분석, 그리고 이를 바탕으로 한 신속한 의사결정이 전쟁에서 얼마나 중요한지 강조했다. 현대의 안보 환경에서도 정보와 의사소통은 필수적이다. 정확하고 신속한 정보는 적의 도발에 효과적으로 대응할 수 있는 기반이 된다.

류성룡 선생은 「징비록」을 통해 리더십과 결단력의 중요성도 강조했다. 임진왜란 당시 이순신 장군의 리더십과 결단력은 조선이 해전에서 승리할 수 있었던 중요한 요인 중 하나였다. 이순신 장군은 뛰어난 전략가이자, 병사들의 신뢰를 얻은 리더였다. 그의 결단력 있는 행동은 전쟁의 판도를 바꿀 수 있었다. 현대의 안보 상황에서도 리더십과 결단력은 중요하다. 위기 상황에서의 신속하고 결단력 있는 리더십은 국가 안보를 지키는데 필수적이다.

징비록은 민군 협력의 중요성도 강조하고 있다. 임진왜란 당시 조선의 민간인들은 전쟁의 피해를 직접 겪었고, 그럼에도 불구하고 군사 활동을 지원하며 국가를 지키기 위해 노력했다. 류성룡 선생은 이러한 민간인들의 역할을 강조하며, 전쟁에서의 민군 협력이 얼마나 중요한지를 기록했다. 현대의 안보 환경에서도 민군 협력은 중요하다. 다양한 위협에 대응하기 위해서는 군사력뿐만 아니라 민간의 협력과 지원이 필수적이다.

현대의 안보 환경에서는 사이버 위협이 중요한 이슈로 떠오르고 있다. 「징비록」에서 강조한 정보와 커뮤니케이션의 중요성은 사이버 위협에도 적용될 수 있다. 사이버 공격에 대비하기 위해서는 철저한 정보 수집과 분석, 신속한 대응 체계가 필요하다. 「징비록」에서 배운 교훈을 바탕으로 사이버 위협에 효과적으로 대응할 수 있는 전략을 마련해야 한다.

현대의 안보 위협 중 하나는 테러와 비대칭 공격이다. 「징비록」에서 강조한 철저한 준비와 대비, 그리고 리더십과 결단력은 이러한 위협에도 적용될 수 있다. 테러와 비대칭 공격은 예측하기 어렵고, 다양한 형태로 발생할 수 있다. 이를 대비하기 위해서는 항상 준비된 상태를 유지하고, 신속하고 결단력 있게 대응할 수 있는 체계를 마련해야 한다.

「징비록」은 과거의 역사적 교훈을 통해 현재와 미래의 안보 위협에 대비하는 데 중요한 지침을 제공한다. 류성룡 선생의 반성과 경계의 메시지는 오늘날에도 유효하며, 우리는 이를 통해 철저한 준비와 대비, 정보와 커뮤니케이션, 리더십과 결단력, 민군 협력이 중요성을 다시 한번 되새길 수 있다.

「징비록」의 교훈을 가슴 깊이 새기며, 우리는 미래의 안보 위협에 대비해야 한다. 이는 단순히 과거의 역사를 배우는 것을 넘어, 현재와 미래의 도전에 효과적으로 대응할 수 있는 전략을 마련하는 것이다. 「징비록」의 교훈은 우리에게 무한한 지혜와 통찰을 제공하며, 우리는 이를 통해 더욱 강력하고 안전한 국가를 만들어 나갈 수 있을 것이다.

이 시대 참군인들의 희생과 헌신

어느 날, 서해의 밤바다는 그 어느 때보다도 차가웠다. 2010년 3월 26일, 평소와 다름없이 초계 임무를 수행하던 천안함이 북한의 어뢰 공격으로 두 동강이 났다. 그 순간, 조용한 밤바다는 순식간에 지옥으로 변했다. 해군 장병들은 침몰하는 함정 속에서 동료들을 구하려 했지만, 결국 46명의 용사가 차가운 바닷속에 잠들었다. 그날의 사건은 단순한 비극이 아니었다. 그것은 우리 모두에게 깊은 상처를 남겼다. 그날 밤, 어둠 속에서 우리는 진정한 용기와 희생을 보았다. 침몰하는 함정 속에서 동료를 구하기 위해 마지막까지 노력한 그들의 모습은, 진정한 군인의 헌신이 무엇인지를 보여주었다. 그들은 차가운 바닷속에서 끝까지 싸우며, 국가를 위해 자신을 희생했다.

천안함 사건 이후, 우리는 그들의 희생을 기억하기 위해 여러 노력을 기울였다. 기념관을 세우고, 그들의 이름을 새기며, 그들이 보여준 용기와 헌신을 잊지 않기 위해 애썼다. 그들의 희생은 단순한 과거의 사건이 아니라, 우리에게 진정한 군인의 의미를 다시 한번 일깨워 주는 중요한 교훈이었다.

2010년 11월 23일, 서해의 작은 섬 연평도에서 또 다른 비극이 발생했다. 북한군이 연평도에 포격을 가하면서 민간인과 군인을 가리지 않고 공격했다. 이 공격으로 인해 4명이 사망하고, 다수의 민간인과 군인들이 부상을 입었다. 당시 연평도에 주둔하고 있던 해병대 장병들은 갑작스러운 공격에 놀랐지만, 곧바로 대응하여 섬을 방어하기 위해 싸웠다.

그날의 연평도는 불타는 지옥과도 같았다. 포탄이 쏟아지는 가운데, 해병대 장병들은 민간인들을 보호하며, 우리나라의 영토를 지키기 위해 끝까지 싸웠다. 그들의 용기와 헌신은 우리에게 큰 감동을 주었고, 우리는 그들의 희생을 잊지 않기로 다짐했다.

천안함 피격 사건과 연평도 포격 도발 사건은 우리에게 큰 아픔과 슬픔을 남겼지만, 그 속에서 우리는 용기와 희생의 진정한 의미를 배웠다. 이 두 사건을 통해 우리는 군인의 헌신과 용기가 얼마나 중요한지를 깨달았고, 그들의 희생을 통해 우리는 더 강해지고, 더 단단해졌다.

나는 이 두 사건을 다시 되새기고, 그 속에 담긴 진정한 용기와 헌신의 의미를 전하고자 한다. 천안함과 연평도의 용사들은 단순히 전투에서 싸운 군인이 아니라, 우리나라를 위해 자신을 희생한 진정한 영웅들이다. 그들의 이야기를 통해 우리는 진정한 군인의 의미를 되새기고, 그것을 우리의 삶 속에서 실천할 수 있을 것이다.

이 두 사건을 통해 우리는 아직 전쟁이 끝나지 않았음을, 그저 잠시 정전 상태에 있다는 것을 다시 한번 깨달았다. 북한과의 긴장은 여전히 지속되고 있으며, 대한민국의 군인들은 언제나 그 긴장 속에서 우리나라를 지키기 위해 헌신하고 있다. 그들의 희생과 헌신이 있기에 우리는 평화로운 일상을 누리고 있다.

이제 우리는 그들의 희생을 기억하며, 더 나은 미래를 준비해야 한다. 그들의 용기와 헌신을 헛되이 하지 않기 위해, 우리는 끊임없이 배우고 발전하며, 국가의 안전을 지키기 위해 최선을 다해야 한다. 그들의 이야기는 우리의 가슴 속에 영원히 남아 있을 것이다. 우리는 그들의 정신을 이어받아, 앞으로도 국가와 국민을 위해 헌신하며 살아갈 것이다.

대한민국의
자랑스러운 군인들에게

군인의 길을 걷는다는 것은 때로는 폭풍 속을 헤쳐 나가는 배와도 같다. 파도는 거세고, 바람은 차갑다. 그러나 그 길을 걷는 당신들에게 나는 믿음을 보낸다. 당신들은 그 길을 걸을 수 있는 용기와 힘을 가진 참군인들이다. 나는 당신들에게 몇 마디 격려와 조언을 전하고자 한다.

먼저, 자신을 믿어라. 군 생활은 때로는 고독하고 힘들지만, 당신들의 내면에는 그 모든 것을 이겨낼 힘이 있다. 그 힘을 믿고 나아가라. 스스로를 믿는다는 것은 그 어떤 상황에서도 흔들리지 않는 강한 마음을 가지는 것이다. 당신들이 자신의 능력과 가능성을 믿는다면, 그 어떤 어려움도 당신들을 무너뜨릴 수 없을 것이다. 자기 신뢰는 단순한 긍정적 사고가 아니다. 그것은 자신의 가치와 능력을 인정하고, 스스로에게 확신을 가지는 것이다. 당신들은 자신이 생각하는 것보다 훨씬 강하고 능력이 있다는 것을 항상 기억하라.

둘째, 동료들을 소중히 여겨라. 군 생활에서의 동료는 때로는 가족보다 더 가까운 존재가 된다. 그들과 함께하는 시간은 당신들의 군 생활을 더 빛나게 할 것이다. 서로의 어려움을 나누고, 기쁨을 함께하는 것이 진정한 군인의 삶이다. 동료들과의 신뢰와 우정은 당신들이 군 생활을 견뎌낼 수 있는 큰 힘이 될 것이다. 전우애는 군 생활의 핵심이다. 서로를 믿고 의지할 때, 우리는 더 강해지고, 더 멀리 나아갈 수 있다. 어려운 순간에 동료와 함께하는 것, 그들의 손을 잡고 함께 걸어가는 것이야말로 진정한 용기와 헌신이다.

셋째, 작은 일에도 최선을 다하라. 군인의 길은 작은 일들의 연속이다. 그 작은 일들이 모여 큰 성과를 이루게 된다. 당신들이 맡은 바 임무를, 최선을 다해 수행할 때, 그 작은 성과들이 쌓여 당신들을 더 큰 군인으로 성장시킬 것이다. 작은 일에 충실함이야말로 진정한 군인의 덕목이다. 군 생활에서 매 순간이 중요하다. 작은 일일지라도 소홀히 하지 말고, 매 순간 최선을 다하라. 작은 일에 대한 충실함이야말로 큰 성공의 기반이 된다.

넷째, 실패를 두려워하지 마라. 군 생활에서의 실패는 당신들을 더 강하게 만드는 자양분이다. 실패는 당신들이 더욱 성장할 기회를 제공한다. 실패를 두려워하지 않고, 그 실패에서 배우는 것이 중요하다. 실패를 통해 배운 교훈은 당신들이 더 나은 군인이 될 수 있는 길을 열어줄 것이다. 실패는 누구에게나 찾아올 수 있다. 중요한 것은 그 실패에서 무엇을 배우고, 어떻게 다시 일어서는가이다. 실패는 당신들을 더 강하고 지혜롭게 만드는 기회이다. 실패를 두려워하지 말고, 그것을 발판으로 삼아라.

다섯째, 항상 배움을 멈추지 말라. 군 생활은 끊임없는 배움의 연속이다. 새로운 기술과 지식을 습득하는 것은 당신들이 더 나은 군인이 되는 길이다. 항상 배우는 자세를 유지하며, 자신을 발전시키는 노력을 멈추지 마라. 배움은 당신들을 더욱 강하고 현명한 군인으로 만들어 줄 것이다. 변화하는 세상 속에서 군인도 끊임없이 배우고 성장해야 한다. 새로운 기술, 새로운 전략, 새로운 지식을 습득하는 것은 당신들을 더욱 강하고 유능한 군인으로 만들어 줄 것이다.

여섯째, 자신에게 엄격하되, 동료들에게는 너그러워라. 군 생활에서는 자신을 단련하고, 자신의 한계를 넘어서는 것이 중요하다. 그러나 동료들에게는 따뜻한 마음과 너그러움을 보여주어야 한다. 동료들이 어려움을 겪을 때, 그들에게 손을 내밀고, 함께 나아가는 것이 진정한 군인의 모습이다. 자신에게는 엄격하게, 그러나 동료들에게는 너그러움을 잃지 말아라.

일곱째, 항상 목적을 명확히 하라. 군 생활에서 순간마다 당신들이 하는 일이 왜 중요한지를 명확히 이해하는 것이 중요하다. 목적의식을 가지고 임무를 수행할 때, 당신들은 더 큰 성취감을 느끼고, 더 큰 보람을 얻을 수 있을 것이다. 목적을 명확히 하고, 그것을 향해 나아가는 것이 당신들의 군 생활을 더욱 의미있게 만들어 줄 것이다.

여덟째, 건강을 소홀히 하지 마라. 군 생활에서의 체력은 매우 중요하다. 건강한 몸이야말로 모든 임무를 성공적으로 수행할 수 있는 기반이다. 규칙적인 운동과 올바른 식습관을 유지하며, 자신의 건강을 지키는 것이 중요하다. 건강은 모든 것의 기초이다. 당신들이 강한 군인으로 성장하기 위해서는 무엇보다 건강을 잘 관리해야 한다.

아홉째, 항상 긍정적인 태도를 유지하라. 군 생활은 때로는 힘들고 고된 일이지만, 긍정적인 태도는 당신들이 어려움을 이겨낼 수 있는 큰 힘이 된다. 긍정적인 태도는 당신들뿐만 아니라 동료들에게도 큰 영향을 미친다. 항상 긍정적인 마음으로 임무에 임하며, 어려움을 극복해 나가라. 긍정적인 태도는 당신들의 군 생활을 더 밝고 의미 있게 만들어 줄 것이다.

마지막으로, 헌신의 가치를 잊지 마라. 군인의 삶은 국가와 국민을 위한 헌신의 연속이다. 당신들의 헌신은 그 자체로 큰 의미가 있으며, 그것이 바로 군인의 자부심이다. 헌신의 가치를 깨닫고, 그것을 실천하는 것이 진정한 군인의 길이다. 당신들이 보여주는 헌신은 많은 사람들에게 희망과 용기를 줄 것이다.

군 생활은 절대 쉽지 않다. 그러나 그 길을 묵묵히 걸어가는 당신들은 언제나 우리의 영웅이다. 당신들의 헌신과 희생 덕분에 우리는 오늘도 안전하게 살아갈 수 있다. 당신들의 이야기를 통해 우리는 참된 헌신의 가치를 깨닫고, 당신들의 희생을 잊지 않을 것이다.

군 생활에서의 경험과 교훈들은 당신들을 더 강하고 현명하게 만들 것이다. 그 길을 걷는 동안 당신들이 겪는 모든 도전과 고난은 당신들을 더 위대한 군인으로 만들어 줄 것이다. 그 길에서 항상 자신을 믿고, 동료들과 함께하며, 작은 일에도 최선을 다하고, 실패를 두려워하지 말고, 끊임없이 배우고, 자신에게 엄격하되 동료들에게는 너그러움을 잃지 않으며, 목적을 명확히 하고, 건강을 지키며, 긍정적인 태도를 유지하고, 헌신의 가치를 잊지 않는다면, 당신들은 분명히 더 큰 성취와 보람을 느낄 수 있을 것이다.

나는 당신들을 믿는다. 당신들은 이 세대의 참군인들이며, 그 헌신과 노고는 절대 헛되지 않을 것이다. 그 길을 묵묵히 걸어가라. 당신들이 걸어가는 그 길이야말로 진정한 군인의 길이며, 그 길 끝에는 분명히 밝은 빛이 있을 것이다. 당신들의 용기와 헌신에 깊은 감사와 존경을 표하며, 항상 당신들을 응원하겠다. 당신들이 나아가는 길에 언제나 행운이 함께하기를 바란다.

헌혈은
가장 쉬운 사랑의 실천

삶은 언제나 예기치 못한 순간에 그 의미를 드러내곤 한다. 때로는 작은 행동 하나가 우리의 인생을 바꾸기도 한다. 나는 군인으로서 국가와 국민을 위해 헌신하는 삶을 살고 있지만, 또 다른 의미에서 더 큰 기쁨과 보람을 느끼게 해준 것은 바로 헌혈과 기부였다.

나의 헌혈 이야기는 아주 작은 것에서 시작되었다. 처음 헌혈하게 된 계기는 단순했다. 그저 누군가에게 도움이 되고 싶다는 생각이었다. 군 생활 중 틈틈이 시간을 내어 헌혈했고, 그것이 습관이 되었다.

헌혈은 나에게 특별한 의미를 지니고 있었다. 그것은 단순히 혈액을 나누는 행위 그 이상의 것이었다. 그것은 생명을 나누는 일이었고, 누군가에게 새로운 희망을 주는 일이었다.

나는 시간이 흐를수록 헌혈의 중요성을 더욱 깊이 깨닫게 되었다. 매번 헌혈할 때마다, 내가 누군가에게 얼마나 큰 도움을 줄 수 있는지 생각하게 되었다. 그래서 나는 헌혈을 꾸준히 이어갔고, 결국 90회 이상의 헌혈을 달성하게 되었다. 그 과정에서 나는 단순히 주는 기쁨을 넘어, 진정한 나눔의 의미를 깨닫게 되었다. 그것은 나에게 큰 자부심을 주었고, 동시에 더 많은 사람들에게 나눔을 실천하고자 하는 동기를 유발하였다.

헌혈뿐만 아니라, 나는 소아암을 앓고 있는 어린이들을 위한 기부도 실천했다. 지난 10년 동안 모은 헌혈증을 한국백혈병어린이재단에 기부했다. 소아암을 앓고 있는 어린이들에게 희망을 주고 싶었다. 그들이 힘든 치료 과정을 견디고, 다시 건강을 되찾기를 바라는 마음에서였다. 헌혈증을 기부하는 것은 단순한 나눔이 아니었다. 그것은 그들에게 삶의 희망을 안겨주고, 새로운 시작을 할 수 있는 힘을 주는 일이었다.

헌혈증은 단순히 한 장의 종이일 수 있다. 하지만 그 종이는 소아암을 앓고 있는 어린이들에게 삶의 희망을 주는 소중한 선물이었다. 내가 기부한 헌혈증이 그들에게 얼마나 큰 도움이 되었는지 생각할 때마다, 나는 큰 기쁨과 보람을 느꼈다. 그것은 단순한 나눔을 넘어 생명을 구하는 일이라는 것을 깨달았다. 나의 작은 기부가 누군가의 생명을 살릴 수 있다는 사실은 나에게 큰 감동을 주었고, 더 많은 나눔을 실천하고자 하는 의지를 다지게 했다.

나는 군인으로서의 사명을 다하며, 국가와 국민을 위해 헌신하고 있다. 하지만 나의 임무는 단순히 군복을 입고 전장에 서는 것만이 아니었다. 그것은 우리의 사회와 이웃을 위해, 작은 나눔을 실천하는 것이기도 했다. 헌혈과 기부를 통해, 나는 나의 사명을 더욱 깊이 이해하게 되었다. 그것은 단순히 임무를 수행하는 것을 넘어, 진정한 의미의 봉사를 실천하는 것이었다.

나의 헌혈과 기부는 많은 사람들에게 생명 나눔의 정신을 전파하는 계기가 되었다. 나는 그저 작은 실천을 했을 뿐이지만, 그것이 많은 사람들에게 큰 감동을 주었고, 더 많은 나눔을 실천하도록 이끌었다. 나의 이야기를 들은 많은 사람들이 헌혈에 동참하고, 기부를 실천하기 시작했다. 그것은 나에게 또 다른 기쁨과 보람을 느끼게 해주었고, 내가 올바른 길을 걷고 있다는 확신을 주었다.

나는 헌혈과 기부를 통해 많은 것을 배웠다. 그것은 단순히 혈액을 나누고, 돈을 기부하는 행위가 아니었다. 그것은 생명을 살리는 일이었고, 누군가에게 새로운 희망을 주는 일이었다. 나의 작은 행동이 누군가에게 얼마나 큰 영향을 미칠 수 있는지 깨달을 때마다, 나는 더 많은 나눔을 실천하고자 하는 의지를 다지게 되었다. 그것이 나의 삶을 더욱 의미 있게 만들어 주었고, 나에게 진정한 기쁨을 주었다.

나의 헌혈과 기부 이야기는 단순히 개인적 경험에 그치지 않는다. 그것은 많은 사람들에게 나눔의 중요성을 전하고, 생명을 살리는 일의 가치를 일깨워주는 이야기이다. 나는 앞으로도 지속적으로 헌혈을 하고, 기부를 실천할 것이다. 그것이 나에게 큰 기쁨과 보람을 주기 때문이다.

작은 나눔의 기쁨은 우리의 삶을 더욱 의미 있게 만들어 주며, 누군가에게 새로운 희망을 주는 일이다. 나의 작은 실천이 더 많은 사람들에게 나눔의 중요성을 전파하고, 생명을 살리는 일에 동참하도록 이끄는 계기가 되기를 바란다.

소아암 어린이들 위한 헌혈증 기부

"헌혈증이 누군가에게는
한 장의 종이일 수도 있지만
제가 생각할 때는
소아암을 앓고 있는 우리 어린이들에게는
삶의 희망이라는
가치로 바뀔 수도 있다고 생각합니다."

작은 행동이 만드는 큰 변화

사랑과 나눔의 가치는 말이 아닌 행동으로 드러날 때 비로소 진정한 빛을 발한다. 그 빛은 주변을 밝혀 수많은 생명과 마음을 따뜻하게 감싼다. 오늘, 내가 걸어온 길을 이야기하려 한다. 이 작은 이야기가 여러분 가슴에 깊은 울림으로 다가가길 소망한다.

2011년 7월 어느 날, 강물에 고립된 두 명을 구출한 순간이었다. 그날의 강물은 차가웠고, 그들의 두려움은 물결처럼 퍼져나갔다. 하지만 나는 망설임 없이 물속으로 뛰어들어 그들을 안전한 곳으로 데려왔다.

그 작은 행동이 얼마나 큰 변화를 불러올 수 있는지 깨달은 순간이었다. 이 일로 나는 2012년 군을 빛낸 인물로 선정되었지만, 그보다 값진 것은 국민의 생명을 지켰다는 자부심이었다.

2019년 2월, 작전지역을 순찰하던 중 화재를 목격했다. 불길은 빠르게 번지고 있었고, 나는 더 큰 화재를 막기 위해 119에 신고한 후 차량에 있는 소화기를 이용해 초기 진화에 나섰다. 그 결과 대형 화재를 예방할 수 있었다. 작은 불꽃 하나를 잡기 위해 모든 힘을 다했지만, 그 작은 불꽃이 얼마나 큰 피해를 줄 수 있는지를 생각하면 오히려 감사한 마음이 든다.

2019년 12월, 육군 「참군인 대상」을 수상하고, 「참군인 대상」 상금 전액을 한국백혈병어린이재단에 기부한 것은 나에게 작은 선택이었다. 이러한 나의 작은 선택이 아이들에게 어떤 변화를 가져다줄지 상상할 때마다 마음이 벅차오른다.

이 외에도 나는 꾸준한 헌혈을 통해 헌혈 90회 이상을 달성하고, 헌혈증 80장을 한국백혈병어린이재단에 기부했다. 아이들에게 작은 희망의 불씨가 되기를 바라며 이 작은 행동을 지속해 왔다. 2019년에는 조혈모세포 기증 희망자로 등록하여, 더 많은 사람들에게 생명의 희망을 전달하고자 했다.

나눔의 실천은 결코 거창한 것이 아니다. 나는 해외 결연아동과 대한적십자의 희망풍차 정기 후원자로 참여하고 있다. 이러한 후원 활동은 단순한 금전적 지원을 넘어, 우리의 작은 손길이 세상에 큰 변화를 불러올 수 있다는 것을 증명한다. 이러한 경험들은 우리가 일상에서 얼마나 많은 나눔과 사랑을 실천할 수 있는지를 상기시켜 준다. 나는 이 길을 멈추지 않을 것이다.

나의 군 생활 간 실천한 선행은 2021년 1월, JTBC 사건반장, 「함께 사는 세상」에 소개되었다. 그 자리에서 나는 "나눔은 크기보다 지속성이 중요하다"고 강조했다. 이 말은 내가 여러분에게 전하고 싶은 가장 중요한 메시지 중 하나이다.

나눔과 사랑의 실천은 결코 어려운 일이 아니다. 우리가 가진 작은 것을 나누는 순간, 그 작은 것은 기적이 되어 돌아온다. 나의 이야기가 그 증거이다. 여러분도 함께 사랑의 나눔을 실천해 보시길 바란다. 작은 행동 하나하나가 모여 큰 변화를 만들어낼 수 있다.

우리는 종종 세상이 어둡고 냉혹하다고 생각한다. 그러나 우리가 가진 작은 불빛을 서로에게 나누어줄 때, 그 어둠은 환하게 밝혀진다. 나눔의 힘은 우리의 상상을 초월한다. 그것은 단지 물질적인 것에 그치지 않는다. 나눔은 마음을 나누는 것이고, 사랑을 나누는 것이다.

사랑의 나눔을 실천하면서, 나는 삶의 깊은 의미를 깨달았다. 그것은 바로 우리가 서로에게 희망이 되고, 빛이 되는 것이다. 여러분도 그 빛을 나누는 사람이 되어 보라. 우리 모두 함께할 때, 세상은 더 따뜻하고 밝은 곳이 될 것이다.

나는 이 책을 통해 발생하는 수익은 부상 제대군인과 소아암 어린이 등 도움이 필요한 곳에 기부할 생각이다. 여러분께서 이 책을 통해 얻은 작은 감동과 깨달음이 다시 세상에 환원될 수 있도록 하는 것이 나의 진심이다.

이 글을 읽고 있는 여러분께 부탁드린다. 이제, 사랑의 나눔을 실천해 주시기를 바란다. 그것이 작은 것일지라도, 그 작은 것이 모여 큰 변화를 만든다. 여러분의 작은 행동이 세상을 변화시키는 첫걸음이 될 것이다. 여러분의 작은 행동 하나가 누군가에게 큰 희망이 될 수 있다. 그 희망을 함께 나누는 일이 우리의 삶을 더욱 빛나게 만들어 줄 것이다. 부디 이글이 여러분의 마음에 작은 울림이 되어, 더 많은 사랑과 나눔의 실천으로 이어지길 진심으로 바란다.

"제가 생각하는 함께 사는 세상은
함께 어울리고 함께 채워주고
그리고 함께 나눠주고 함께 위로하는
그런 따뜻한 세상이 아닐지 생각합니다.

저는 앞으로 이 따뜻한 세상에서
군인으로서 맡은 바 임무 수행은 물론,
제 능력이 닿는 한 작은 사랑의 나눔을 통해서도
국가와 국민을 위해
봉사할 수 있도록 노력하겠습니다."

가족에게 전하는 감사의 메시지

나는 당신들을 위해 지금 이 글을 씁니다. 이 글은 당신들이 내게 어떤 의미인지를 전하고 싶어 쓰는 글입니다. 아내와 세 아이, 부모님, 그리고 장인어른과 장모님, 당신들은 내 인생의 가장 큰 축복이자, 힘든 순간마다 나를 일으켜 세워준 존재들입니다.

내 사랑하는 아내

당신과의 첫 만남을 기억합니다. 우리는 그저 평범한 청춘이었습니다. 그러나 그 만남이 얼마나 큰 의미로 쓰이게 될 줄은 아무도 몰랐습니다. 내가 군인의 길을 걷기로 결심했을 때, 당신은 내 곁에 있었고, 내 결정을 지지해 주었습니다. 당신의 그 믿음은 내가 어떠한 어려움에도 굴하지 않고 나아갈 힘이 되었습니다.

결혼 후 우리는 여덟 번의 이사를 겪었습니다. 그때마다 당신은 묵묵히 짐을 싸고, 새로운 집을 정리하며 우리 가정을 지켜주었습니다. 매번 새로운 환경에 적응하며 아이들을 돌보는 일이 얼마나 힘들었을지, 나는 잘 압니다. 하지만 당신은 단 한 번도 불평하지 않았습니다. 당신의 그 헌신과 사랑 덕분에 우리 가정은 항상 따뜻한 안식처가 될 수 있었습니다.

내 사랑하는 아이들

세상의 어떤 보물보다 소중한 우리 아이들, 너희들이 태어날 때마다 새로운 책임감과 기쁨을 느꼈단다. 아빠로서, 그리고 군인으로서 두 가지 역할을 균형 있게 해내는 것이 결코 쉬운 일이 아니었지만, 경하, 동하, 린하가 보여준 아빠에 대한 사랑과 응원은 언제나 큰 힘이 되었단다.

아빠가 자주 집을 비우고, 훈련과 임무로 인해 가족과 많은 시간을 보내지 못했던 것을 미안하게 생각한다. 그러나 가족의 웃음과 꿈을 지키기 위해, 그리고 우리나라를 지키기 위해 아빠는 최선을 다해 왔단다. 앞으로도 너희들이 자랑스러워할 수 있는 아빠가 되기 위해 노력을 다할게.

어머니와 아버지

나의 어린 시절을 생각하면 아버지와 어머니의 얼굴이 떠오릅니다. 아버지가 일찍 떠나셔서 어머니 혼자서 우리를 키우느라 얼마나 힘드셨을지, 이제는 한 가정의 가장이 되어 조금이나마 이해할 수 있습니다. 어머니, 당신의 희생과 사랑 덕분에 저는 지금 이 자리에 있습니다. 당신이 없었다면 나는 결코 이 길을 걸을 수 없었을 것입니다.

아버지, 당신이 보여주신 강인함과 용기는 저의 인생의 지침이 되었습니다. 당신의 부재 속에서도 저는 당신의 가르침을 마음에 새기며 살아왔습니다. 군인이 되어 당신이 자랑스러워할 만한 사람이 되기 위해 노력했습니다. 그 길이 험난했지만, 당신의 존재는 언제나 나에게 큰 힘이 되었습니다.

장인어른과 장모님

장인어른, 장모님 두 분께도 깊은 감사의 마음을 전하고 싶습니다. 두 분께서는 저를 아들처럼 대해주시고, 언제나 저의 선택을 지지해 주셨습니다. 특히, 군인의 아내로서 힘든 시간을 보내는 아내를 지지해 주신 점에 대해 정말 감사드립니다. 두 분의 사랑과 이해가 없었다면, 우리 가정이 이렇게 안정적이고 행복할 수 없었을 것입니다.

군인의 가족으로 산다는 것은 절대 쉽지 않은 일입니다. 긴급 상황에서 전화를 받고, 멀리 떨어진 곳에서 임무를 수행하는 나를 기다리는 시간, 그 모든 순간에 당신들은 나를 이해하고, 응원해 주었습니다. 이 모든 것들이 나에게 얼마나 큰 힘이 되었는지 모릅니다.

당신들의 그 사랑과 헌신 덕분에 나는 군인으로서, 그리고 한 가정의 가장의 역할을 잘 해낼 수 있었습니다. 그 어떤 말로도 이 감사함을 다 표현할 수는 없겠지만, 이 글을 통해 조금이나마 전하고자 합니다.

나는 여러분의 사랑을 받으며, 여러분의 헌신을 느끼며 살아왔습니다. 그 덕분에 나는 강해질 수 있었고, 그 어떤 어려움도 극복할 수 있었습니다. 앞으로도 여러분과 함께라면 어떤 도전도 두렵지 않습니다. 우리 가족의 사랑과 헌신은 어떤 상황에도 변치 않을 것입니다.

이제 새로운 장을 열며, 우리는 함께 미래를 향해 나아갈 것입니다. 나는 여러분을 위해, 그리고 우리나라를 위해 최선을 다할 것입니다. 여러분의 사랑과 헌신에 보답할 수 있도록, 매 순간 노력할 것입니다.

사랑하는 아내와 아이들, 그리고 부모님, 여러분이 있기에 나는 존재합니다. 여러분의 사랑이 나의 힘이자, 나의 이유입니다. 이 감사함을 마음에 새기며, 앞으로도 변함없는 사랑과 헌신을 다짐합니다.

우리의 여정은 아직 끝나지 않았습니다. 앞으로도 함께 걸어갈 길이 많습니다. 그 길 위에서 우리는 더욱 단단해질 것입니다. 여러분의 사랑에 감사하며, 여러분의 헌신에 감사드립니다.

마지막으로, 이 글을 읽는 모든 분에게 전하고 싶은 메시지가 있습니다. 가족은 우리 삶의 가장 큰 축복입니다. 우리는 종종 그 소중함으로 잊고 지내지만, 진정한 행복은 가족의 사랑 속에 있습니다. 저는 군인으로서 국가와 국민을 위해 헌신하지만, 그 모든 헌신의 뿌리는 가족의 사랑에서 비롯됩니다. 여러분도 여러분의 가족을 소중히 여기고, 그 사랑을 나누며 살아가시길 바랍니다.

이 글을 마치며, 나는 여러분에게 무한한 사랑과 감사를 전합니다. 우리의 미래가 더욱 밝고 희망차지길 바라며, 함께 걸어갈 그 길을 기대합니다.

여러분 감사합니다. 그리고 사랑합니다.

가족들과 서해 어느 바닷가에서

Epilogue

새로운 세대를 위한 희망

군 생활의
의미와 가치

세상은 끊임없이 변하고, 우리는 그 변화의 흐름 속에서 살아간다. 그러나 변하지 않는 것이 있다면, 그것은 바로 군인의 길이다. 군인의 길은 언제나 헌신과 희생으로 점철된 여정이다. 나는 이 길을 걸어오면서 많은 것을 배우고, 많은 가치를 깨달았다. 이제 새로운 세대를 위해 그 의미와 가치를 전하고자 한다.

군 생활의 의미는 단순히 국가를 지키는 것에 그치지 않는다. 그것은 자신을 단련하고, 동료들과 함께 협력하며, 더 큰 목표를 향해 나아가는 과정이다. 군 생활을 통해 우리는 자신의 한계를 넘어서는 법을 배우고, 자신을 더욱 강하게 만드는 법을 익힌다. 이 과정에서 우리는 자신을 발견하고, 자신이 얼마나 강한 존재인지 깨닫게 된다.

군 생활의 가치는 우리가 함께 나누는 우정과 신뢰 속에서 더욱 빛난다. 군대에서는 혼자가 아니다. 우리는 서로를 믿고 의지하며, 함께 어려움을 극복한다. 이 과정에서 우리는 진정한 동료애를 느끼고, 서로에게 큰 힘이 된다. 군대에서 나눈 우정은 평생을 함께할 소중한 인연이 된다. 그 속에서 우리는 사람의 진정한 가치를 발견하고, 서로에게 더욱 깊은 신뢰를 쌓는다.

군 생활은 또한 자신을 끊임없이 발전시키는 과정이다. 우리는 새로운 기술을 배우고, 새로운 지식을 습득하며, 자신을 끊임없이 발전시킨다. 이 과정에서 우리는 변화에 적응하고, 더 나은 자신이 되기 위해 노력한다. 군 생활을 통해 우리는 자신의 가능성을 발견하고, 자신의 가치를 깨닫게 된다.

군 생활은 단순히 힘들고 고된 과정이 아니다. 그것은 우리의 삶을 더욱 풍요롭게 만드는 과정이며, 우리의 내면을 더욱 강하게 만드는 과정이다. 군인의 길을 걸으며 우리는 자신을 단련하고, 더 큰 목표를 향해 나아가며, 진정한 자신의 가치를 발견하게 된다. 이 과정에서 우리는 자신이 얼마나 큰 가능성을 가졌는지를 깨닫고, 그 가능성을 실현하기 위해 노력하게 된다.

군 생활의 의미와 가치는 단순히 개인적 경험에 그치지 않는다. 그것은 우리의 삶 전체에 큰 영향을 미치는 중요한 요소이다. 군 생활을 통해 우리는 자신을 발견하고, 자신의 가치를 깨닫게 되며, 더 큰 목표를 향해 나아가는 법을 배우게 된다. 이 과정에서 우리는 자신을 발전시키고, 더 나은 사람이 되기 위해 노력하게 된다.

새로운 세대를 위한 희망의 메시지는 바로 이 군 생활의 의미와 가치 속에 담겨있다. 새로운 세대에게 전하고 싶은 말은, 군인의 길을 걸어보라는 것이다. 군인의 길은 장교, 부사관, 병의 계급을 넘어, 그 길에서 자신을 발견하고, 자신의 가치를 깨닫고, 더 큰 목표를 향해 나아가는 법을 배울 수 있다. 그 길에서 우리는 진정한 자신을 발견하고, 자신의 가능성을 실현할 수 있을 것이다.

미래를 향한 다짐, 군 생활을 마무리하며

나는 내 인생의 또 다른 막을 열 준비를 하고 있다. 군 생활이라는 한 편의 긴 여정을 마무리하며, 나는 지금까지의 경험과 배움을 되새기며 새로운 여행을 준비하는 기분이다. 이 순간, 지난 시간을 돌아보며 내 삶의 궤적을 다시금 정리하고자 한다.

군 생활은 마치 한 편의 서사시와 같다. 처음 시작할 때도 모든 것이 낯설고 두려웠다. 그러나 시간이 지나면서 나는 군인의 길에서 많은 것을 배웠고, 나 자신을 발견하게 되었다. 군 생활은 나에게 단순히 직업 이상의 의미를 주었다. 그것은 나의 삶을 변화시키고, 나를 더 강하고, 현명하게 만들어 주었다.

나는 군 생활을 통해 많은 사람들을 만났다. 그들은 나에게 큰 영감을 주었고, 나의 군 생활을 더욱 풍요롭게 만들어 주었다. 함께 훈련하고, 함께 작전을 수행하며, 우리는 서로를 믿고 의지했다. 그 속에서 나는 진정한 동료애와 우정을 느낄 수 있었다. 우리는 서로를 지지하고, 서로의 성장에 기여했다. 이 동료들은 나의 삶에서 가장 소중한 인연이었다.

군 생활에서의 도전과 어려움은 나를 더욱 강하게 만들었다. 도전과 어려움은 나를 성장하게 만드는 중요한 요소였다. 그것들은 나를 더 강하고, 결단력 있게 만들어 주었다.

나는 수많은 훈련과 작전을 통해 나 자신을 단련하고, 나의 한계를 넘어섰다. 그 과정에서 나는 나 자신을 더 잘 이해하게 되었고, 나의 강점과 약점을 명확히 알게 되었다.

군 생활을 마무리하며, 나는 나의 군 생활에서 얻은 교훈들을 되새겨본다. 나는 군 생활을 통해 헌신의 가치를 깨달았다. 군인의 길은 국가와 국민을 위한 헌신의 연속이었다. 나는 그 길을 걸어오면서 나의 헌신이 얼마나 큰 의미를 가지는지를 깨달았다. 헌신은 단순히 자신의 희생을 의미하는 것이 아니라, 더 큰 목표와 가치를 위해 자신을 바치는 것이다.

또한, 나는 군 생활을 통해 리더십의 중요성을 배웠다. 군대에서는 언제나 리더가 필요했다. 나는 여러 번 리더의 역할을 맡

왔고, 그 과정에서 많은 것을 배웠다. 리더십은 단순히 지시를 내리는 것이 아니라, 동료들과 함께 목표를 향해 나아가는 것이다. 나는 나의 동료들과 함께 협력하고, 그들의 의견을 존중하며, 함께 성장할 수 있었다.

군 생활을 통해 나는 끊임없는 배움의 중요성을 깨달았다. 군대는 항상 변화하고 발전하는 곳이었다. 나는 새로운 기술과 지식을 습득하며, 끊임없이 나 자신을 발전시켜야 했다. 배움은 나를 더 강하고, 더 유능한 군인으로 만들어 주었다. 나는 배움을 통해 변화에 적응하고, 더 나은 자신이 될 수 있었다.

지난 시간을 돌아보며, 나는 내 가족들에게 깊은 감사의 마음을 전하고 싶다. 그들은 언제나 나의 곁에서 나를 지지해 주었고, 나에게 큰 힘이 되었다. 그들의 사랑과 지지가 없었다면, 나는 이 길을 걸어올 수 없었을 것이다. 가족들은 나의 가장 큰 버팀목이었고, 그들의 사랑은 나에게 큰 위안이 되었다.

또한, 나의 동료들에게 감사의 마음을 전하고 싶다. 그들은 나와 함께 어려움을 극복하고, 많은 것을 이루었다. 우리는 함께 성장하며, 서로에게 큰 힘이 되었다. 그들의 지지와 우정 덕분에 나는 이 길을 걸어올 수 있었다. 그들은 나의 군 생활에서 가장 소중한 인연이었다.

마지막으로 나는 나 자신에게 감사의 마음을 전하고 싶다. 나는 군인의 길을 걸어오면서 많은 도전과 어려움을 겪었지만, 그 모든 것을 이겨내고 성장할 수 있었다. 나는 나 자신을 믿고, 끊임없이 노력하며 이 길을 걸어왔다. 나는 나의 성취와 성장을 자랑스럽게 생각하며, 앞으로도 계속해서 나아갈 것이다.

이제 군 생활을 마무리하며 나는 새로운 꿈을 꾸고 있다. 내 경험을 바탕으로 한 책을 통해, 현재 군 생활 중인 초급장교들과 장교를 희망하는 생도, 후보생, 군인 가족들에게 내가 배운 것들을 전하고자 한다. 나의 이야기가 그들에게 조금이나마 도움이 되고, 그들의 미래에 작은 희망의 씨앗이 되길 바란다.

새로운 여행을 준비하는 지금, 나는 다시금 다짐한다. 군인이란 직업은 단순히 직업이 아니라, 국가와 국민을 위해 헌신하는 삶 그 자체라는 것을, 그리고 그러한 헌신은 결코 헛되지 않다는 것을, 앞으로도 나는 내가 걸어온 길을 자랑스럽게 생각하며, 새로운 도전을 두려워하지 않고 나아갈 것이다.

하나의 여정을 마치고 새로운 여정을 시작하는 이 순간, 나는 다시금 별이 빛나는 밤하늘을 올려다본다. 그리고 다짐한다. 나의 이야기가, 나의 경험이 누군가에게 작은 빛이 되길, 앞으로도 나는 나의 길을 걸어가며, 더 나은 미래를 위해 노력할 것이다. 이 길의 끝에서 나는 더 큰 꿈을 꾸고, 더 많은 이들에게 희망을 전할 것이다.

앞으로 나아갈 길 위에서 나를 기다리고 있을 수많은 도전과 기회들, 그리고 그 속에서 만날 새로운 인연들을 기대하며, 나는 다시금 발걸음을 내딛는다. 이것이 나의 이야기이고, 나의 다짐이다. 앞으로도 나는 나의 길을 걸어갈 것이다.

"지난 군 생활 모든 날, 모든 순간이 빛났다.
나는 앞으로도 나의 길을 갈 것이다.
어쩌면 가장 중요한 일은 아닐지라도
나는 나만이 할 수 있는
나의 이야기를 만들어 갈 것이다.

지상에서 우주까지, 끝없는 여정을 계속해서...."